Universale Economica Feltrinelli

TOMMASO CAMPANELLA
LA CITTÀ DEL SOLE

a cura di Adriano Seroni

Feltrinelli

Prima edizione nella "Biblioteca di classici italiani" aprile 1982
Prima edizione nell' "Universale Economica" marzo 1979
Nona edizione marzo 1988

ISBN 88-07-80847-1

Introduzione

I

L'epoca del Campanella è un tempo ricco di grandi, drammatici contrasti: la rottura definitiva dell'unità del mondo cattolico, da un lato, porta, con la Riforma, alla maturazione delle premesse storiche poste dall'Umanesimo e dal Rinascimento; dall'altro, s'inizia, per l'Italia in generale e in particolare per il Mezzogiorno, un lungo periodo d'involuzione politica e sociale, che vede nascere e fiorire la Controriforma e stabilizzarsi la dominazione congiunta dell'impero di Spagna e dell'Inquisizione.

La pace di Cateau-Cambrésis, firmata il 3 aprile 1559, fu definita la "pace cattolica": la riconciliazione tra Francia e Spagna è infatti fondamentalmente provocata dal comune nemico da battere, la riforma protestante. Nel preambolo del celebre trattato i sovrani delle due grandi potenze — la cui lotta aveva, fin dal 1494, rotto la politica d'equilibrio tipica della situazione italiana — s'impegnavano anzitutto a promuovere e favorire quel Concilio di Trento che, indetto nel maggio del 1542 da papa Paolo III, aveva visto le prime sessioni aver luogo solo piú di tre anni dopo, e trascinarsi avanti, fra contrasti e perplessità da parte di Carlo V, assai stancamente; con la non trascurabile parentesi del pontificato di Paolo IV, nella cui politica la lotta contro la Riforma parve poter coincidere con un tentativo di svinco-

lamento della situazione italiana dal peso della dominazione spagnola.

Ma col trattato del '59 la Spagna vedeva riconfermato il proprio dominio sulle provincie meridionali d'Italia; d'altra parte la morte di Paolo IV riavvicina la Spagna alla Santa Sede, mentre nel gran giuoco della politica europea entrano come nuova potenza i Gesuiti, che, riconosciuti ufficialmente dalla Santa Sede con la bolla del 18 ottobre 1549, daranno mano alla repressione non solo dei Riformati, ma insieme degli ultimi fermenti, nelle regioni italiane, di indipendenza politica e di rivolta morale.

Il lungo periodo della dominazione spagnola nell'Italia meridionale, che corrisponde piú generalmente, per tutta l'Italia, al tempo della Controriforma e dell'Inquisizione, durerà senza scosse fino all'inizio del nuovo secolo, quasi addirittura fino ai nuovi fermenti che provocheranno la guerra dei trent'anni (1618-48), dalla quale le regioni italiane resteranno tuttavia — il Sud in particolare — escluse come dirette protagoniste.

L'ambiente politico-sociale e culturale in cui si colloca la travagliata vita del Campanella è dunque fondamentalmente caratterizzato dall'involuzione italiana — vera e propria involuzione reazionaria e provinciale — cui fa spiccato contrasto l'affermarsi nel nord d'Europa di nuovi stati sorti dalle guerre di religione, la ripresa della egemonia francese con la politica di Richelieu, la nascita ufficiale, con l'opera di Galileo e di Cartesio, della moderna scienza e filosofia europea. In termini di storia culturale, la vita di Campanella sta fra l'edizione definitiva del De rerum natura di Bernardino Telesio (1586) e il cartesiano Discorso del metodo (1637), fra la decadenza dell'Accademia cosentina e il nascere e maturarsi della nuova scienza di Galileo (in una lettera al grande scienziato, del marzo 1614, il Nostro scriverà: "Tutti i filosofi del mondo pendeno ogge dalla penna di V. Sig.a, perch'in vero non si può filosofare senza uno vero e accertato sistema della costruzione de' mondi, quale da lei aspettiamo; e già tutte le cose son poste in dubbio, tanto che non sapemo s'il parlare è parlare"): in una storia per immagini e per miti, tra la scomparsa dalla scena politica di Carlo V e il primo vagito di Luigi XIV.

Una sorte particolare, in questo vasto e contraddittorio quadro storico, è riservata al Regno di Napoli e, nel suo ambito, alla Calabria. Il trattato di Cateau-Cambrésis coincide praticamente con la definitiva degradazione del Viceреame di Napoli a terra di sfruttamento coloniale della Spagna. Si ha, insomma, la precipitazione di un lungo processo storico-politico. Nei primi tempi della dominazione spagnola poté sembrare che la monarchia cattolicissima intendesse promuovere nel Vicereame l'istituzione di uno stato moderno che eliminasse lo strapotere del vecchio feudalesimo, il quale, mentre da un lato incrementava il frazionismo regionale, dall'altro impoveriva l'intero territorio. Già l'azione politica del viceré Pietro di Toledo (1532-52), la lotta specialmente da lui combattuta contro i "baroni," la stessa prudenza con cui la Reggenza agí in principio nei confronti della penetrazione dell'Inquisizione, fino a far pensare ad una politica di distinzione fra potere civile e potere ecclesiastico (un fatto, un indirizzo che affascinarono e ingannarono piú tardi anche un ingegno acuto come il Giannone) eran parsi segni di un nuovo periodo che s'aprisse per le provincie meridionali. Ma, nel contempo, la politica vicereale dovette volgersi all'estirpazione e alla persecuzione di certe infiltrazioni riformiste, che, com'è noto, porteranno alla costituzione di stanziamenti valdesi, particolarmente in Calabria (a Guardia, Boccarizzo, San Sisto, La Rocca, San Vincenzo) e che fioriranno fino alla repressione del '61; mentre alla prepotenza baronale si andò sostituendo l'ugual prepotenza di una classe di nuovi funzionari, la piú parte *spagnoli, che non saranno da meno dei vecchi feudatari nello spogliare sistematicamente il Vicereame. Oltre tutto, questa politica non fu in grado di unificare il Regno; il frazionamento regionale, se mai, s'intensificò, fino a lasciare, dopo il '59, in un particolare stato di lontananza e di abbandono la povera e desolata Calabria.*

Né meno pesante fu la mano dei dominatori spagnoli nella persecuzione e distruzione dei centri culturali che s'eran venuti creando con la gran fioritura del Rinascimento nelle provincie del Vicereame: disfatte le accademie, perseguitato il vecchio Telesio, in sospetto il Della Porta, costretto all'esilio il Bruno, "academico di nulla academia," fin dal 1576, la cultura d'opposizione fu dispersa, mentre venne incrementandosi una cultura conformista e spagnolizzata, priva di contenuti vitali, vòlta all'apologetica e al verbalismo. Col passar degli anni il Regno apparve sempre piú sotto l'aspetto di una terra da sfruttamento coloniale: ogni iniziativa locale, anche in campo economico, fu repressa e impedita, si degradarono e impoverirono l'agricoltura e l'artigianato, si spopolarono le campagne. Gli unici fermenti di vita rimasero affidati, nel campo sociale, al banditismo, nel campo culturale ai centri monastici, nei quali lo studio poteva ancora — come nel caso del Bruno e del Campanella — generare ribelli: ché, se nel caso del banditismo incerti saranno quasi sempre i confini fra un fenomeno di degradazione economica e un movimento di rivendicazione sociale, nel campo della cultura cattolica non facile sarà segnare il discrimine fra ortodossia ed eresia.

Nei ribelli, naturalmente, il nuovo convivérà col vecchio, e il dramma non sarà soltanto quello delle persecuzioni, ma anche quello interiore del dover ormai — come nel caso del Campanella — operare al di fuori di una solida tradizione sociale e culturale. Nei grandi ribelli della cultura meridionale dell'epoca la tendenza ad evadere dagli stretti limiti dell'ambiente parrà perciò un fatto quasi istintivo. Vedete il Campanella: prima Napoli, cosí lontana dalla povera provincia calabrese, poi Padova, ove pareva ancora si potesse respirare una cert'aria di libertà e di spregiudicate discussioni; fino, attraverso Firenze, Bologna, Roma, alla Sorbona, in quella Parigi dove la lotta contro la Riforma e la politica del Richelieu già facevano intravedere l'epoca nuova di Luigi XIV. Un errare, insomma, provocato non solo dalla necessità di sottrarsi alle persecuzioni, ma anche dall'ansia di ricerca di quella componente europea che, nel gran dramma tra Riforma e Controriforma, stava per lasciare in ombra, definitivamente, le desolate provincie del vicereame di Napoli.

II

In questo ambiente che abbiamo tentato di disegnare rapidissimamente nasceva, a Stilo, in Calabria, il 5 settembre 1568, da famiglia contadina, Giandomenico Campanella. A quindici anni, già precocemente avviato negli studi, veste l'abito di chierico, per entrare subito dopo nell'ordine domenicano. Era l'unica strada per proseguire gli studi: pronuncia i voti nella primavera del 1583, e nel convento di San Giorgio Morceto attende allo studio della logica e della fisica aristoteliche. Diciannovenne, nel convento di Nicastro, viene per la prima volta in contatto con l'opera di Telesio, di cui approfondirà lo studio a Cosenza, nel 1588, leggendo i due primi libri del De rerum natura. *È l'anno stesso della morte del "gran Cosentino": alla sua memoria il Campanella dedica un'elegia, né manca di recarsi a rendere omaggio, nella cattedrale di Cosenza, alla salma del filosofo. Piovono in conseguenza le prime accuse di eresia e la prima segregazione nel convento domenicano di Altomonte. E ha inizio il lungo vagabondaggio del filosofo: sul finire dell'89 lascia la Calabria per Napoli, dove frequenta il cenacolo di Giambattista della Porta e si accosta agli studi della magia. Sono anni di grande fervore e di grande applicazione: oltre ad alcuni scritti poi perduti (fra i quali la prima stesura della sua opera filosofica piú nota,* Del senso delle cose*), pubblica (1591) la* Philosophia sensibus demonstrata, *di ispirazione telesiana, che lo condurrà, l'anno successivo, di fronte al tribunale dell'Ordine, che gli impone di rinunciare alle sue opinioni e di rientrare in Calabria. Il Campanella non ubbidisce all'intimazione, si reca invece a Firenze, ove ottiene da Ferdinando I un sussidio, ma non la cattedra allo Studio di Pisa o di Siena che pare gli fosse stata promessa. Prosegue il viaggio, per Bologna, ove l'Inquisizione gli sequestra tutti i manoscritti che aveva con sé, quindi a Padova, ove si iscrive all'università come studente spagnolo e vive dando lezioni private. A Padova, fra il '93 e il '94, compone diverse opere e affronta per la prima volta, nel trattato* Della monarchia dei Cristiani *(poi perduto), il tema di fondo della sua concezione politica, l'unificazione di tutti i popoli sotto un'unica legge che sia insieme civile e religiosa. All'inizio del '94 è arrestato, assieme ad alcuni amici, per ordine dell'Inquisizione; per la prima volta subisce la tortura. Un tentativo di amici e discepoli per farlo evadere dal carcere fallisce; il Sant'Uffizio chiede la sua estradizione a Roma, dove è incarcerato nella stessa prigione in cui sono Giordano Bruno e Francesco Pucci. Fra una tortura e l'altra, in attesa del giudizio, riprende a lavorare a varie opere, fra cui un trattatello indirizzato al Sant'Uffizio in difesa della propria filosofia e di quella di Telesio. Ai primi di maggio del '95, "per gravissimo sospetto d'eresia," è costretto alla pubblica abiura delle sue dottrine, e viene quindi relegato in residenza obbligata nel convento di Santa Sabina sull'Aventino, ove compone un'operetta contro "Luterani, Calvinisti e altri eretici." Assegnato successivamente al convento della Minerva, cade* di nuovo sotto il Sant'Uffizio, per certe rivelazioni su di lui vantate in articulo mortis da tale Scipione Prestinace in Napoli; ricondotto nel carcere conosce il Pucci e assiste, il 5 luglio del '97, al suo supplizio. L'ordine perentorio di tornare in Calabria chiude questo periodo della vita nel Nostro.

Rientrato il Campanella in Stilo, nel convento di Santa Maria di Gesú, prende corpo in lui l'idea della celebre congiura contro i clerico-spagnoli, di cui diciamo piú avanti. Assieme a Maurizio de Rinaldis, Fra Dionisio Ponzio e Bassà Cicala, il Campanella tenta l'instaurazione di una repubblica calabra. Il disegno fu scoperto per la delazione di due dei congiurati, nell'estate del 1599: i congiurati vennero sconfitti e dispersi, il Campanella, rifugiatosi presso un amico, è tradito e arrestato. Tradotto a Napoli e giudicato per eresia e sedizione, è ripetutamente sottoposto a tortura; dopo una confessione di reità estortagli coi tormenti, per evitare la pena di morte simula la pazzia, che, riconosciutagli per autentica, provoca la commutazione della pena nel carcere perpetuo. Nel carcere napoletano il Campanella stette fino al 1626, ed ivi compose alcune fra le sue opere maggiori: oltre la Città del Sole in italiano (1602), i diciotto libri della Metafisica, compendio generale della sua filosofia, i trenta libri della Teologia, l'Atheismus triumphatus, trattato contro la "ragion di stato" e le dottrine del Machiavelli, il Senso delle cose e la magia (1604: una delle opere capitali del naturalismo filosofico italiano) e una Apologia pro Galilaeo (1616). Nel 1613 aveva ricevuto nel carcere la visita di Tobia Adami, che, tornato in Germania, si farà editore di alcune delle opere campanelliane, fra cui la Scelta d'alcune poesie filosofiche (1622).

Frattanto andavano crescendo movimenti e sempre piú numerosi si formulavano appelli per chiedere la scarcerazione del filosofo: essi culminarono, nel maggio del 1626, in una petizione dei domenicani calabresi al re di Spagna. Il Campanella viene liberato, ma alla sola distanza di un mese è nuovamente catturato e tradotto nelle carceri romane del Sant'Uffizio. Qui il filosofo passa tre anni, finché viene liberato per interessamento personale di papa Urbano VIII, che accarezza il progetto di conquistare il Campanella — frattanto riabilitato e insignito del titolo di magistero in teologia — alla politica missionaria e alla direzione del Sant'Uffizio. Ma nel 1633 il filosofo interviene in favore di Galileo nel processo intentatogli dall'Inquisizione, mentre nel '34 la scoperta in Napoli di una congiura antispagnola capeggiata da un suo discepolo, Tommaso Pignatelli, provoca contro il Campanella l'ira delle autorità spagnole, che vorrebbero prender pretesto da questo incidente per far tacere la voce del filosofo, ormai orientato a sostenere, contro le precedenti impostazioni, il concetto dell'egemonia mondiale della monarchia francese. Per sfuggire alla inevitabile cattura, il Campanella ripara allora in Francia, con l'aiuto dell'ambasciatore francese in Roma. Accolto con grandi onori da Luigi XIII e dal cardinale Richelieu, si dedica alla lotta contro l'eresia. Nel 1637 cura la pubblicazione del testo latino della *Città del Sole*, già pubblicato nel '23 dall'Adami a Francoforte. Nel settembre del 1638, alla nascita del Delfino di Francia (il futuro Luigi XIV), scrive la grande egloga latina che conclude la ricchissima serie dei suoi scritti. Muore il 21 maggio 1639, nel convento domenicano di Rue Saint-Honoré, in Parigi.

III

Nell'agosto del 1598 — s'è visto — il Campanella tornava a Stilo dopo la lunga e tormentata esperienza che s'era iniziata sul finire del 1589 con la fuga a Napoli: la frequentazione del cenacolo dellaportiano, il primo processo per eresia e pratiche demoniche, il viaggio a Roma e a Firenze, la *lunga permanenza a Padova fino al nuovo processo che lo costringerà, dopo il carcere e la tortura, al ritorno in patria, sono le tappe di questo decennio fondamentale nella storia della vita e dell'opera campanelliana. Si maturano in questi anni e attraverso queste drammatiche vicende l'uomo e il pensatore, e si vien formando il teorico della politica. Dell'esperienza umana sono componenti principali il carcere, la tortura, la sottile persecuzione, la tetra cerimonia in Roma della pubblica abiura, il supplizio del compagno di prigionia Francesco Pucci, decapitato in Tor di Nona e quindi arso in Campo de' Fiori in Roma; componenti di quella che sarà, d'indi in poi, la tipica "passione" campanelliana, il tono tragico della sua opera, rinvenibile a uno stadio già alto nel sonetto scritto per il supplizio del Pucci; dov'è insieme la ribellione e l'affermazione sicura e aperta della propria "missione":*

Anima ch'or lasciasti il carcer tetro
di questo mondo, d'Italia e di Roma,
del Santo Offizio e della mortal soma,
vattene al Ciel, ché noi ti verrem dietro.

Ivi esporrai con lamentevol metro
l'aspra severitate, che ne doma
sin dalla bionda alla canuta chioma,
tal che, pensando, me n'accoro e 'mpetro.

Dilli che, se mandar tosto il soccorso
dell'aspettata nova redenzione
non l'è in piacer, da sí dolente morso

toglia, benigno, a sé nostre persone,
o ci ricrei ed armi al fatal corso
c'ha destinato l'Eterna Ragione.

Della maturazione del suo pensiero e del formarsi della sua politica testimonia particolarmente l'anno 1593, quando, nel clima culturale di Padova, il Campanella compone il vasto trattato Della Monarchia dei Cristiani, *per esporre il principio della unificazione universale dei popoli in forma di comunità teocratica, che segnasse l'avvento di una nuova civiltà. L'opera, purtroppo perduta, costituisce indubbiamente, assieme ai* Discorsi ai principi d'Italia *e ai* Discorsi universali del governo ecclesiastico, *il fondamento su cui, piú tardi, verrà tracciato il disegno della* Città del Sole. *Ma la formazione del Campanella politico non avviene solo nell'ambito della teoria: a Padova i contatti del filosofo con amici e con gruppi debbono essere stati frequenti e continui se, arrestato assieme a Giambattista Clario e Ottavio Longo, suscita negli amici un infelice tentativo di provocare l'evasione dei prigionieri mediante assalto alle carceri patavine. La predicazione politico-religiosa del Campanella si dimostra dunque un fatto già vitale e capace di muovere all'azione; la* Città del Sole *ha già il suo antefatto storico e umano.*

Tornato il Campanella a Stilo, la sua prima manifestazione pubblica è costituita da una serie di prediche che egli tiene dal febbraio all'aprile del 1599 nella chiesa locale: il tema di fondo è l'annuncio della grande rivoluzione della fine del secolo, profetata mediante gli schemi dell'astrologia, e l'annuncio del nuovo ordine di cose (elementi l'uno e l'altro che da questo momento all'ultimo scritto del Campanella, l'elegia latina per la nascita di Luigi XIV, costituiranno una linea costante lungo tutta la sua opera). Anche se nessun documento ce lo può attestare, pare logico pensare che una personalità quale quella che s'è visto venirsi formando durante il decennio non dovesse predicare a vuoto; come par logico che il Campanella stesso tentasse di tradurre in azione pratica i princìpi della sua repubblica.

Nasce in questo clima e da questa esperienza la celebre congiura contro i clerico-spagnoli, congegnata come un'avveduta combinazione fra l'insurrezione interna e lo sbarco di un'armata di Turchi; il Campanella ne è l'animatore e il propagandista, tiene corrispondenza cifrata coi vari capi e congiurati, si sposta di città in città e presiede riunioni, a incoraggiare i ribelli. L'esito infelice della congiura è noto: la delazione, la repressione da parte delle fanterie spagnole, la fuga del Campanella, l'arresto, il processo, le torture, la sentenza di condanna al carcere perpetuo, che viene decretata dal Sant'Uffizio nel 1602, l'anno stesso in cui il Campanella componeva in italiano la Città del Sole.

Gli studiosi moderni — in particolare l'Amabile — hanno accertato e investigato la realtà della congiura del 1599. Allo stato attuale degli studi, anche se può accettarsi il limite posto da alcuni all'effettiva corrispondenza fra la predicazione campanelliana del rinnovamento generale del mondo e i motivi immediati che animarono alcuni dei congiurati (ma la riserva, a parer nostro, non può spingersi fino alle tesi di quegli studiosi che, come l'Amerio e il Firpo, tendono a presentarci il Campanella come la vittima di una ciurmaglia di frati traviati e di banditi: tesi del resto che par logica e conseguente nell'Amerio, che da studioso cattolico tende ad astrarre gli ideali campanelliani da una realtà che gli appare tutta terrestre e per di piú grave di aspetti contradditori, ma che nel Firpo fa contrasto con le importanti osservazioni dello studioso sulla situazione delle campagne meridionali e sul ceppo contadino da cui traeva origine il Campanella), non vi può essere alcun dubbio sulla genuinità tutta campanelliana dei motivi fondamentali dell'azione che i congiurati, dopo la repressione dell'agosto, confessano nelle loro deposizioni: che, ad esempio, il Campanella sosteneva che "Giesu Christo era un huomo da bene... e non è niente di quel che si dice Dio, e che non ci era altro Dio che la Natura," "che l'anime non andavano all'inferno, né al purgatorio, né al paradiso"; che "voleva far bruciare tutti i libri latini, perché era un imbrogliare la gente che non intendevaño le cose, e che voleva fare esso libri volgari solamente";

che "voleva fare una repubblica dove si havesse da vivere in comune e... la generatione humana si doveva solamente fare dalli huomini buoni" e "li inhabili non dovevano fare la generatione humana, intendendo e dichiarando per huomini inhabili quelli che non erano valorosi et huomini gagliardi."

Pur con tutte le possibili riserve — e col fondamentale sospetto di una concertazione di testimonianze abilmente costruita dagli inquisitori, — la corrispondenza fra le deposizioni dei congiurati e certi motivi ispiratori della Città del Sole *è innegabile; sí che giustamente nota il Bobbio: "Ogni qualvolta ci si sofferma su questi rapporti per tanto tempo insospettati e insospettabili, non si può non provare un senso di stupore nel veder apparire tra le pagine massicce, grossolane, sgrammaticate degli atti di un processo, uscite dalla bocca di frati ignoranti ed ignari, quelle stesse idee, che diffuse poi nel mondo della cultura ad opera della* Città del Sole *furono per tanto tempo giudicate come dotte fantasie, frutto di una troppo fervida immaginazione." D'altra parte almeno la semplice successione dell'atto scrittorio ai fatti della congiura ci porta fermamente ad acquisire il fatto che la* Città del Sole *ha da considerarsi come l'idealizzazione del programma della fallita insurrezione calabrese: — e proprio in questa connessione dei due elementi sta la notevole differenza fra la "città" campanelliana e le tante costruzioni utopistiche politico-religiose del Rinascimento.*

Quanto alla congiura, già il Croce aveva notato che "non era poi cosa tutta da giuoco"; e aveva tentato di individuare le basi storiche di una sua possibile riuscita: egli osservava che "il materiale d'uomini per un moto proletario non mancava nell'Italia meridionale, e in particolare nelle Calabrie; era lo stesso che forniva cosí grossi contingenti al brigantaggio."

Sarebbe tuttavia da studiare piú a fondo il fenomeno del fuoriuscitismo, delle bande, delle loro costituzioni e reggi-

menti. È evidente che le cause del banditismo sono politico-sociali, che molto spesso le rivolte dei banditi son da considerare dei veri e propri moti contadini. La storia corrente ha isolato particolarmente la celebre congiura di Masaniello; ma noi sappiamo che i primi moti nelle campagne risalgono almeno a un secolo prima, e ci appaiono talora collegati anche all'infiltrazione valdese, agli stanziamenti dei Valdesi e alla loro brutale repressione ad opera delle autorità vicereali.

Sulle cause economico-sociali del banditismo pare fosse d'accordo anche il vicerè Pietro di Toledo, quando, in una relazione diretta alla corte di Madrid, dell'anno 1536, elencava nell'ordine i tre malanni principali del cattivo stato del Vicereame: estorsioni, vendita di pubblici uffici, banditismo. Piú generiche e meno approfondite storicamente e anche documentariamente sono le radici religiose del banditismo, il quale sembra sicuramente collegato alla ribellione contro la penetrazione dell'Inquisizione.

Precedenti della congiura campanelliana, dunque, non mancano: notizie di moti contadini si hanno nel 1512; negli anni fra il '59 e il '63 il bandito Marco Berardi di Mangone riuscí a costituire un vero e proprio esercito; assunto il nome di battaglia di "Re Marcone," concedeva privilegi e pare avesse intenzione di costituire una sorta di repubblica nel Crotonese. Gli Spagnoli gli mandarono contro un contingente di truppe comandato dal Marchese di Cerchiara: re Marcone l'affrontò e lo sconfisse a Crotone. Una relazione ufficiale del 15 agosto 1563, annunciando la repressione del Cerchiara, ci dice che il bandito aveva costituito, a direzione del suo stato, un consiglio, che aveva nominato un segretario, e che addirittura aveva posto delle taglie sulla testa dei capi e degli ufficiali spagnoli. Altre notizie, peraltro non controllate criticamente, ci dicono che il Berardi sarebbe stato educato a San Sisto, uno degli stanziamenti valdesi della Calabria, e che dalle dottrine valdesi avrebbe tratto forza per la sua rivolta. Certo è che la repressione, nel 1561, degli stanziamenti valdesi dovette procurare nuove forze alla congiura: la relazione dianzi citata parla di "piú di seicento cavalli," contingente, per i tempi, tutt'altro che trascurabile. Sulle radici sociali di questi moti — e della stessa congiura campanelliana — insiste il residente veneto in Napoli in una relazione al suo governo, quando osserva che "in Calabria particolarmente sono stati cosí eccessivi i mali trattamenti a i popoli di inosservanza di privilegi estorsioni di pagamento... che senza dubbio si conosce esser loro stata levata la fede dal petto."

Queste radici dei moti contadini e briganteschi sfuggirono al Giannone, il quale, tutto preso dalla sua tesi fondamentale della separazione del potere civile da quello religioso e della necessità dell'unificazione del Regno in funzione antifeudale, non seppe perdonare ai vari moti, e in particolare alla congiura campanelliana, sia certa spinta religiosa che avrebbe rafforzato la commistione dei due poteri, sia la spinta autonomistica che pareva tendesse a staccare la Calabria dal Regno. Oggi noi possiamo valutare la sostanza di questi moti con l'esperienza di una riflessione sulle contraddizioni dello stesso Rinascimento e sulla involuzione che a un certo punto esso subí in Italia e che condusse — secondo un acuto giudizio di Gramsci — al "fenomeno di una aristocrazia staccata dal popolo-nazione, mentre nel popolo si preparava la reazione a questo splendido parassitismo nella Riforma protestante, nel savonarolismo, coi suoi 'bruciamenti delle vanità,' nel banditismo popolare come quello di re Marcone in Calabria e in altri movimenti che sarebbe interessante registrare e analizzare almeno come sintomi indiretti."

Esaminando i documenti del processo per la congiura di Stilo, converrà dunque tener presenti non solo tutti quei passi delle testimonianze che fanno fede della realtà degli avvenimenti, ma anche quelli — abbastanza numerosi — che rivelano la sostanza politico-religiosa della congiura. Pur tenendo infatti presente anche in questo caso che si tratta di deposizioni rese sotto tortura e quindi spesso distorte al fine di salvarsi dal dolore, non può non osservarsi che anche i passi relativi all'aspetto religioso e astrologico della predicazione campanelliana corrispondono quasi sempre a passi della Città del Sole: *un Gio. Tomase di Franza, ad esempio, riferisce che un Fra Dionisio gli aveva detto " che questo anno 1600 si è scoverto, et si sa, che hanno da essere gran guerre, e rumori, e, credeti, che questo che io vi raggionerò sia ispiratione d'Iddio, perché il Padre fra Tomase Campanella sapientissimo homo in tutte le scientie l'have antevisto per astrologia, et altre virtú che possede "; e Fabio di Lauro: " ... atteso che fra Tomase Campanella per cognitione dell'influssi trovava, che in questo anno 1600, dovevano essere gran revolutioni... et mutatione di stati." la " nova legge " e la riduzione di " ogni homo a libertà naturale " (deposizione di Gio. Batista Vitale) si congiungono nella propaganda per la congiura, e poi nella* Città del Sole, *ai referti astrologici, alle concezioni magiche, ai principî campanelliani di una generale riforma religiosa.*

Lo spunto letterario della Città del Sole *pare sia stato offerto da Diodoro Siculo, che, nel secondo libro delle sue* Storie, *dice di un mercante, certo Giambulo, che racconta dei costumi e usanze degli abitanti di un'isola dell'Oceano Indiano, nella quale gli antichi commentatori identificarono quell'isola di Taprobana, che ritroviamo nel dialogo del Campanella.*

Ma, al di là di questo spunto, ch'è da considerarsi proprio nei limiti di un precedente letterario, qual è la tela dell'operetta campanelliana? — Il nocchiero genovese del Colombo *entra subito in argomento: il contatto ch'egli ebbe con " un gran squadrone d'uomini e donne armate," che, " in un gran piano proprio sotto l'equinoziale,"* lo condussero alla Città del Sole. Questa sorge gran parte su un colle, ma si distende anche nella pianura circostante; è distinta in sette gironi, ciascuno dei quali ha il nome d'un pianeta; vi si accede da quattro porte, rivolte a ciascun punto cardinale, che immettono in quattro strade che intersecano i sette gironi. Al sommo dei sette gironi, saldamente fortificato, c'è "un gran piano," su cui sorge un tempio rotondo su colonne, senza pareti. Sopra l'altare del tempio, al luogo del segno della divinità, vi è un "mappamondo assai grande, dove tutto il cielo è dipinto, e un altro dove è la terra"; mentre nel cielo della cupola sono dipinte le stelle maggiori.

Capo della Città è il Sole, che equivale al nostro Metafisico, ed è capo insieme spirituale e temporale, religioso e civile; con lui cooperano al governo della città tre principi, Pon, Sin e Mor, cioè Potestà (o Potenza), Sapienza e Amore. Al Potestà fanno capo le faccende della guerra e dell'arte militare; il Sapienza è preposto alle arti liberali e meccaniche ed ha alle sue dipendenze tanti ufficiali quante sono le scienze: l'Astrologo, il Cosmografo, il Loico, il Retorico, il Grammatico, il Medico, il Fisico, il Politico, il Morale. Il suo libro è uno solo, e consiste in pitture sulle mura di ciascuno dei sette gironi. Il principe Amore si occupa della generazione umana e dell'educazione, delle medicine, dell'alimentazione e del vestiario.

Il fondamento della vita sociale della Città è la totale comunione dei beni, compreso l'uso comune delle donne. La vita dei Solari è regolata da ufficiali (ministri), uno per ogni virtú: Liberalità, Magnanimità, Castità, Fortezza, Giustizia, ecc., i quali compiono la loro funzione non solo vigilando e regolando, ma soprattutto educando, sí che i reati tipici del nostro mondo non esistono nella Città solare. L'educazione poi si inizia a tre anni, e non ha un termine fisso, né comporta distinzioni classiste, poiché ogni arte, dal governo dei *campi alla medicina, è tenuta in ugual considerazione di dignità e perché l'esercizio sia delle scienze che delle arti meccaniche dà ugualmente diritto a partecipare al Consiglio; del resto tutti i Solari debbono essere esperti nell'arte militare, nell'agricoltura, nella pastorizia. L'unità globale delle scienze e delle arti meccaniche si compie nel Sole, che deve avere conoscenza di tutto.*

Comuni sono le abitazioni, le mense, i luoghi di ricreazione; comune il vestito che è di color bianco. La generazione, s'è detto, è regolata da Amore: le gare di lotta, cui uomini e donne partecipano nudi, danno modo di preparare gli accoppiamenti piú idonei ad una buona generazione. I figli, appena svezzati, crescono in comune. La retta generazione, la salubrità del cibo, l'esercizio fisico rendono trascurabile presso i Solari il numero e il peso delle malattie; mentre la comunità dei beni, il culto disinteressato delle virtú eliminano quasi del tutto i delitti. Alla fine, la morale, la stessa religione dei Solari si reggono su due principî di fondo: generazione ed educazione.

Ma — incalza l'Ospitalario — sono, i Solari, cristiani? E il nocchiero del Colombo *risponde che essi seguono "solo la legge della natura" e che ciò li avvicina al Cristianesimo, il quale è legge naturale piú i sacramenti. Sí che — si conclude — togli alla religione cristiana gli "abusi," riconducila a legge naturale, ed essa sarà "signora del mondo."*

La corrente dei moderni studiosi pseudosocialisti — che il Croce confutò nel suo noto saggio — determinò una fortuna popolare della Città del Sole, *materialmente visibile nella ricca serie di edizioni divulgative condotte su una cattiva traduzione del testo latino dell'opera, staccandola violentemente (anziché distinguendola) dal contesto rinascimentale e presentandola come una manifestazione avanti lettera del socialismo moderno. Su questa base, che naturalmente ignorava le ricerche dell'Amabile, venne prendendo forza l'immagine* di un Campanella costretto a celare, sotto il velame di annunciazioni religiose e profetiche, la sostanza della sua politica: — tesi assurda (ben diversa da quella, ugualmente inaccettabile, sostenuta dall'Amabile, di una simulata conversione del Campanella all'ortodossia, in atto dopo gli effetti della fallita congiura), dal momento che piú pungenti erano a quell'epoca gli strali dell'inquisizione religiosa che non quelli della pur barbara tirannide spagnola. Di fronte a una distorsione del genere, ben piú autorizzata ci pare, se mai, la definizione di stato "cristiano-sociale," proposta dal Gothein, pur se viziata soprattutto dalla trasposizione di un concetto eterogeneo e moderno nel clima della predicazione campanelliana. Ben a ragione gli studiosi piú recenti ricordano che era tipica dell'uomo del Rinascimento che non volesse ridursi ad essere solo un letterato pedante, l'aspirazione a una riforma politico-religiosa: da Pico, al Bruno, al Campanella. "La riforma politica," scrive il Garin, "è, per tutte queste anime strettamente collegata con un rinnovamento religioso; una piú alta concezione della vita, una moralità piú profonda, una riforma del cuore, può sola preparare uno stato veramente umano." È qui che s'innesta, è di qui che prende forza l'antimachiavellismo del Campanella e la sua costante polemica contro la "ragion di stato" (e il lettore potrà vedere come il ricorso, attraverso l'esposizione della *Scelta*, all'*Atheismus triumphatus* o *Antimachiavelli*, sia continuo, quasi di verso in verso, a sottolineare questo filone del pensiero campanelliano).

Naturalmente, questo motivo non va portato ad esasperazione, non deve farci correre il rischio di una interpretazione univoca — che sarebbe semplicistica, come per la "ragion di stato" ha sottilmente dimostrato il Meinecke — delle idee politiche del Campanella. Il riflesso di una situazione storico-politica — quelle che abbiamo prima definito le basi reali, storico-politiche, della congiura — è eviden-

te: le regole sulla generazione controllata e affidata soltanto agli "habili" nella Città del Sole *sono evidentemente un riflesso della dilagante prolificazione nella miseria e negli stenti delle popolazioni meridionali; cosí come le concezioni egualitarie e comunitarie sono il riflesso della perdurante organizzazione feudale, che gli Spagnoli ereditano e potenziano e che genera miseria di fronte a prepotente ricchezza, violenza e ingiustizia sociale, e fa della religione ufficiale comodo strumento di un insopportabile regime. E, ancora, quel porre la cultura a servizio della comunità, in modi semplici e per immagini — quasi fumetti — non è forse il riflesso dell'ignoranza ordinata a regime, fatta* instrumentum regni *dalla congiunta tirannide spagnola e clericale?*

L'aspetto "metafisico" della predicazione campanelliana, come della sua opera di politico e di filosofo e di riformatore religioso, non annulla questi fermenti realistici. La metafisica, del resto, è già in pieno presente nella costruzione della città solare; ed assai eloquente è — e saremmo negli anni del primo soggiorno napoletano, 1589-92 — il sonetto al "gran Telesio," cui l'esposizione piú tarda non aggiunge elementi posteriori, quando dichiara: "Ma esso autore, filosofo de' principî e fini delle cose, rinnovò la filosofia, e aggiunse la metafisica e politica, ecc., e la accoppiò con la teologia." La fissazione di questo punto è fondamentale, al fine di scegliere quale dei due indirizzi critici meglio convenga alla valutazione storica della predicazione e dell'azione del Campanella: è chiaro che quegli studiosi che accentuano all'estremo il naturalismo campanelliano e il suo realismo politico sono tratti fatalmente a due conclusioni, o ammettere che il processo per la congiura avesse ragione delle idee del Campanella e facesse nascere, con la Monarchia di Spagna, *che è quasi contemporanea alla* Città del Sole, *o con la* Monarchia del Messia, *del 1605, un Campanella reazionario e controriformista; o ipotizzare nel filosofo una lunga simu-*

lazione dottrinaria (per analogia alla simulata pazzia), che farebbe vivere un Campanella diverso sotto il velame dell'ortodossia religiosa (una sorta, dunque di deteriore machiavellismo nell'antimachiavellico Campanella!). Coloro invece — e costituiscono la corrente di studio piú autorevole — che definiscono fin dalla congiura l'immagine rinascimentale di un Campanella riformatore politico-religioso possono scorgere nelle opere sopracitate una continuità di pensiero, nel tentativo di raggiungere, pur dopo il fallimento dell'azione pratica, l'unità politico-religiosa del mondo. È stato giustamente notato che le prospettive politiche e i "miracoli" che il Campanella promette al cardinal Farnese sono gli stessi che egli aveva anni prima promesso ai congiurati di Calabria e che la sua lettera del 1607, di conversione e adesione ai princípî dell'ortodossia cattolica, non cancella la sua adesione alla religione naturale. Cosí come la sostituzione di Francia a Spagna nella missione unificatrice del mondo cristiano (che troverà accenti altissimi nell'egloga latina per la nascita di Luigi XIV) non cancella il principio comunitario universale.

Quest'ultima tesi, del resto, non solo non annulla la potenza rivoluzionaria dell'opera e dell'azione campanelliane, né cancella la sua grande figura di accusatore spietato della reazione clerico-spagnola; ma addirittura, immergendola nelle contraddizioni e nei grandi contrasti di un'epoca complessa e difficile, ne illumina e ne sbalza a maggior rilievo i contorni. Non si può chiedere al Campanella né di essere un Machiavelli, con un suo realismo politico ben disegnato e conseguente, né d'esaurire tutta la sua personalità nella teologia. I grandi contrasti dell'estremo Rinascimento si riflettono nel dramma interiore del Campanella e creano quella grande forza di suggestione tipica della personalità del domenicano stilense.

Adriano Seroni

Nota bibliografica

I. L'indagine sulle condizioni politiche e sociali della Calabria nell'epoca del Campanella è ancora ben lontana dall'aver raggiunto risultati certi e dall'aver offerto almeno alcuni elementi di fondo. Le stesse trattazioni generali sulla Riforma e la Controriforma non recano notizie critiche sulla particolare situazione della Calabria; mentre mancano studi particolari sull'economia della regione.

Oltre alle storie generali " classiche, " scritte naturalmente da un particolare angolo visuale (l'*Istoria civile del Regno di Napoli*, di Pietro Giannone, pubblicata nel 1723, e la *Storia del Regno di Napoli*, di B. Croce, del 1924), il lettore può vedere il fondamentale studio di G. Cingari, *Per una storia della società calabrese nel XVI secolo*, Reggio Calabria, 1957, oltre al volume di G. Pepe, *Il Mezzogiorno d'Italia sotto gli Spagnuoli*, Firenze, 1952, in cui si discute criticamente la tradizione storiografica.

II. Fondamento di uno studio critico del pensiero e dell'opera del Campanella è la poderosa ricerca complessiva compiuta nel secolo scorso da Luigi Amabile in molteplici scritti e notizie e indagini, ma segnatamente nei tre volumi su *Fra Tommaso Campanella, la sua congiura, i suoi processi e la sua pazzia*, Napoli, 1882, e nei due su *Fra Tommaso Campanella ne' castelli di Napoli, in Roma ed in Parigi, Napoli*, 1887. Seppure oggi appaiano discutibili alcune delle tesi di fondo sostenute dall'Amabile, in particolare quella secondo cui dopo il fallimento della congiura anti-spagnola il Campanella avrebbe simulato il suo cattolicesimo per poter affermare senza pericoli la sua autentica dottrina filosofica e politica, tuttavia l'indagine dello studioso resta ancora insuperata per quanto riguarda le notizie storiche sulla vita del Campanella e in particolare le vicende e la sostanza della congiura.

Prima dell'Amabile e sulla scorta dell'edizione delle *Opere* curata dal D'Ancona, aveva scritto quello che ancora oggi resta il piú pregevole studio sulla filosofia del Campanella Bertrando Spaventa (in

Saggi di critica filosofica, politica e religiosa, Napoli, 1867; si veda ora il vol. *Rinascimento, Riforma, Controriforma e altri saggi*, Venezia, 1928, pp. 1-122. La data di composizione di questi saggi dello Spaventa è 1854-55). A questi studi, per una introduzione critica al pensiero del Campanella, sono oggi da aggiungere fondamentalmente il *Campanella* di L. Blanchet, Parigi, 1920 e quello di C. Dentice D'Accadia, Firenze, 1921, oltre al capitolo dedicato al C. nel volume di E. Garin, *La filosofia*, Milano, 1947, II, pp. 247-282 e lo studio di A. Corsano, *T. C.*, Bari, 1961.

Per l'interpretazione della *Città del Sole,* e in genere sulla politica campanelliana, si vedano, oltre alla introduzione all'edizione del Bobbio (Torino, 1941), Paolo Treves, *La filosofia politica di T. C.*, Bari, 1930; R. De Mattei, *La politica di C.*, Roma, 1927; il vecchio saggio di B. Croce, *Sulla storiografia socialistica. Il comunismo di T. C.*, in *Materialismo storico ed economia marxistica*, Bari, 1951, pp. 177 sgg. (il saggio è del 1895); lo studio di E. Gothein su *Lo stato cristiano-sociale dei Gesuiti nel Paraguay,* in *L'età della Controriforma,* Venezia, 1928 — scritto superato sia storicamente che criticamente, ma ancora interessante per lo studio della fortuna della *Città del Sole*. Fondamentale il capitolo dedicato al C. in F. Meinecke, *L'idea della ragion di stato nella storia moderna,* trad. it. Firenze, 1942, vol. I, pp. 127-63. Fra i contributi piú recenti, si veda in particolare L. Firpo, *L'utopia politica nella Controriforma*, in " Quaderni di Belfagor, " I, 1948, pp. 75-108. Per i rapporti con l'ambiente dellaportiano, si veda il saggio di N. Badaloni, *I fratelli Della Porta e la cultura magica e astrologica a Napoli nel '500*, in " Studi storici," I, n. 4 (1959-60). Il commento fondamentale è quello di L. Firpo in *Scritti scelti di G. Bruno e T. Campanella*, Torino, UTET, 1968, pp. 404-64.

Per la bibliografia generale delle opere del C., si ricorra all'importante volume di L. Firpo, *Bibliografia degli scritti di T. C.*, Torino, 1940, da integrare con le *Ricerche campanelliane* dello stesso autore, Firenze, 1947. Per la vita, si veda — ancora del Firpo — la *Cronologia,* in *Opere* di T. C., Milano, 1954, vol. I, pp. LXV-XCIX. Quivi anche l'elenco completo delle opere edite e inedite del C. e delle edizioni moderne commentate. Per il *Del senso delle cose e della magia,* si veda l'edizione a cura di A. Bruers, Bari, 1925.

Nota al testo

La nostra edizione riproduce il testo critico stabilito da N. Bobbio in T. C., *La Città del Sole*, Torino, Einaudi, 1941. Per le questioni relative al testo e all'edizione critica è tuttavia necessario ricorrere alla citata edizione torinese del Firpo.

L'indice dei nomi è stato compilato dalla dott.essa M. Grassini, che qui ringraziamo.

Appendice della politica
detta

La Città del Sole

di
Fra Tomaso Campanella

Dialogo poetico

Interlocutori

Ospitalario[1] *e Genovese Nochiero del Colombo*

Ospitalario. Dimmi, di grazia, tutto quello che t'avvenne in questa navigazione.

Genovese. Già t'ho detto come girai il mondo tutto e poi come arrivai alla Taprobana,[2] e fui forzato metter in terra, e poi, fuggendo la furia di terrazzani, mi rinselvai, ed uscii in un gran piano proprio sotto l'equinoziale.[3]

Osp. Qui che t'occorse?

Gen. Subito incontrai un gran squadrone d'uomini e donne armate, e molti di loro intendevano la lingua mia, li quali mi condussero alla Città del Sole.

Osp. Di', come è fatta questa città? e come si governa?

Gen. Sorge nell'ampia campagna un colle, sopra il quale sta la maggior parte della città; ma arrivano i suoi giri molto spazio fuor delle radici del monte, il quale è tanto, che la città fa due miglia di diametro e piú, e viene ad essere sette miglia di circolo; ma, per la levatura, piú abitazioni ha, che si[3 bis] fosse in piano.

È la città distinta in sette gironi grandissimi, nominati dalli sette pianeti, e s'entra dall'uno all'altro per quattro strade e per quattro porte, alli quattro angoli del mondo spettanti; ma sta in modo che, se fosse espugnato il primo girone, bisogna

[1] Cavaliere dell'Ordine degli Ospitalieri di San Giovanni in Gerusalemme.

[2] probabilmente l'isola di Sumatra.

[3] *sotto l'equinoziale*: sulla linea dell'Equatore, dove, secondo il Campanella, il clima costante produce uomini probi.

[3 bis] se (merid.). Cosí, piú avanti e piú volte, *chi* per "che."

piú travaglio al secondo e poi piú; talché sette fiate bisogna espugnarla per vincerla. Ma io son di parere, che neanche il primo si può, tanto è grosso e terrapieno, ed ha valguardi,[4] torrioni, artelleria [5] e fossati di fuora.

Entrando dunque per la porta Tramontana, di ferro coperta, fatta che s'alza e cala con bello ingegno,[5 bis] si vede un piano di cinquanta passi tra la muraglia prima e l'altra. Appresso stanno palazzi tutti uniti per giro col muro, che puoi dir che tutti siano uno; e di sopra han li rivellini [6] sopra a colonne, come chiostri di frati, e di sotto non vi è introito,[7] se non dalla parte concava delli palazzi. Poi son le stanze belle con le fenestre al convesso ed al concavo, e son distinte con piccole mura tra loro. Solo il muro convesso è grosso otto palmi, il concavo tre, li mezzani uno o poco piú.

Appresso poi s'arriva al secondo piano, ch'è dui passi o tre manco, e si vedono le seconde mura con li rivellini in fuora e passeggiatori; e della parte dentro, l'altro muro, che serra i palazzi in mezzo, ha il chiostro con le colonne di sotto, e di sopra belle pitture.

E cosí s'arriva fin al supremo e sempre per piani. Solo quando s'entran le porte, che son doppie per le mura interiori ed esteriori, si ascende per gradi tali, che non si conosce, perché vanno obliquamente, e son d'altura quasi invisibile distinte le scale.

Nella sommità del monte vi è un gran piano ed un gran tempio in mezzo, di stupendo artifizio.

Osp. Di', di' mo, per vita tua.

[4] baluardi.

[5] artiglieria (spagnolismo).

[5 bis] meccanismo.

[6] Il *rivellino* è " un picciol forte, separato e spiccato da tutto il corpo della fortificazione, per lo che è stato cosí detto, quasi che sia rivulso e separato dagli altri corpi " (GALILEI, *Trattato delle fortificazioni*).

[7] ingresso.

Gen. Il tempio è tondo perfettamente, e non ha muraglia che lo circondi; ma sta situato sopra colonne grosse e belle assai. La cupola grande ha in mezzo una cupoletta con uno spiraglio, che pende sopra l'altare, ch'è un solo e sta nel mezzo del tempio. Girano le colonne trecento passi e piú, e fuor delle colonne della cupola vi son per otto passi li chiostri con mura poco elevate sopra le sedie, che stan d'intorno al concavo dell'esterior muro, benché in tutte le colonne interiori, che senza muro fraposto tengono il tempio insieme, non manchino sedili portatili assai.

Sopra l'altare non vi è altro ch'un mappamondo assai grande, dove tutto il cielo è dipinto, ed un altro dove è la terra. Poi sul cielo della cupola vi stanno tutte le stelle maggiori del cielo, notate coi nomi loro e virtú, c'hanno sopra le cose terrene, con tre versi per una; ci son i poli e i circoli signati non del tutto, perché manca il muro a basso, ma si vedono finiti in corrispondenza alli globbi[8] dell'altare. Vi sono sempre accese sette lampade nominate dalli sette pianeti.

Sopra il tempio vi stanno alcune celle nella cupoletta attorno, e molte altre grandi sopra li chiostri, e qui abitano li religiosi, che son da quaranta.

Vi è sopra la cupola una banderola per mostrare i venti, e ne signano trentasei; e sanno quando spira ogni vento che stagione porta. E qui sta anco un libro in lettere d'oro di cose importantissime.

Osp. Per tua fé, dimmi tutto il modo del governo, ché qui t'aspettavo.

Gen. È un Principe Sacerdote tra loro, che s'appella Sole,[9] e in lingua nostra si dice Metafisico: questo è capo di tutti in spirituale e temporale, e tutti li negozi in lui si terminano.

[8] globi.

[9] In tutti i manoscritti, anziché la parola *Sole*, vi è il segno astrologico (cerchio con punto al centro): la prima edizione latina traduce nell'idioma dei Solari tale segno con *Sol*; la seconda con *Hoh*.

Ha tre Principi collaterali: Pon, Sin, Mor, che vuol dir: Potestà, Sapienza e Amore.

Il Potestà ha cura delle guerre e delle paci e dell'arte militare; è supremo nella guerra, ma non sopra Sole; ha cura dell'offiziali, guerrieri, soldati, munizioni, fortificazioni ed espugnazioni.

Il Sapienza ha cura di tutte le scienze e delli dottori e magistrati dell'arti liberali e meccaniche, e tiene sotto di sé tanti offiziali quante son le scienze: ci è l'Astrologo, il Cosmografo, il Geometra, il Loico, il Rettorico, il Grammatico, il Medico, il Fisico, il Politico, il Morale; e tiene un libro solo, dove stan tutte le scienze, che fa leggere a tutto il popolo ad usanza di Pitagorici. E questo ha fatto pingere in tutte le muraglie, su li rivellini, dentro e di fuori, tutte le scienze.

Nelle mura del tempio esteriori e nelle cortine, che si calano quando si predica per non perdersi la voce, vi sta ogni stella ordinatamente con tre versi per una.

Nel dentro del primo girone tutte le figure matematiche, piú che non scrisse Euclide ed Archimede, con la lor proposizione significante. Nel di fuore vi è la carta della terra tutta, e poi le tavole d'ogni provinzia con li riti e costumi e leggi loro, e con l'alfabeti ordinari sopra il loro alfabeto.

Nel dentro del secondo girone vi son tutte le pietre preziose e non preziose, e minerali, e metalli veri e pinti, con le dichiarazioni di due versi per uno. Nel di fuore vi son tutte sorti di laghi, mari e fiumi, vini ed ogli ed altri liquori, e loro virtú ed origini e qualità; e ci son le caraffe piene di diversi liquori di cento e trecento anni, con li quali sanano tutte l'infirmità quasi.

Nel dentro del terzo vi son tutte le sorti di erbe ed arbori [10] del mondo pinte, e pur in teste di terra [11] sopra il rivellino e

[10] alberi.
[11] *teste di terra*: vasi di terracotta.

le dichiarazioni dove prima si ritrovaro, e le virtú loro, e le simiglianze c'hanno con le stelle e con li metalli e con le membra umane, e l'uso loro in medicina. Nel di fuora tutte maniere di pesci di fiumi, laghi e mari, e le virtú loro, e 'l modo di vivere, di generarsi e allevarsi, e a che serveno;[11 bis] e le simiglianze c'hanno con le cose celesti e terrestri e dell'arte e della natura; sí che mi stupii, quando trovai pesce vescovo[12] e catena e chiodo e stella, appunto come son queste cose tra noi. Ci sono ancini, rizzi, spondoli[13] e tutto quanto è degno di sapere con mirabil arte di pittura e di scrittura che dichiara.

Nel quarto, dentro vi son tutte sorti di augelli pinti e lor qualità, grandezze e costumi, e la fenice è verissima appresso loro. Nel di fuora stanno tutte sorti di animali rettili, serpi, draghi, vermini, e l'insetti, mosche, tafani ecc., con le loro condizioni, veneni e virtuti; e son piú che non pensamo.

Nel quinto, dentro vi son l'animali perfetti terrestri di tante sorti che è stupore. Non sappiamo noi la millesima parte, e però, sendo grandi di corpo, l'han pinti ancora nel fuore[13 bis] rivellino; e quante maniere di cavalli solamente, o belle figure dichiarate dottamente!

Nel sesto, dentro vi sono tutte l'arti meccaniche, e l'inventori loro, e li diversi modi, come s'usano in diverse regioni del mondo. Nel di fuori vi son tutti l'inventori delle leggi e delle scienze e dell'armi. Trovai Moisè, Osiri,[14] Giove, Mer-

[11 bis] servono. Cosí piú avanti *godeno, vedeno,* ecc. (merid.).

[12] "... quanto è in terra, si trova in mare, cosí artificioso come naturale: però in mare ci è pesce spada con la spada, calamaro con l'inchiostro e penna, rasoio proprio come rasoio, ci è pesce catena, pesce lorica, pesce stella e pesce vescovo, che tutto a vescovo è simile, e pesce uomo, che non si può distinguere da noi" (CAMPANELLA, *Del senso delle cose*, libro IV, c. 19).

[13] *ancini, rizzi, spondoli*: ricci di mare i primi due; e spondili.

[13 bis] esterno.

[14] Osiride.

curio, Macometto[15] ed altri assai; e in luoco assai onorato era Gesú Cristo e li dodici Apostoli, che ne tengono gran conto, Cesare, Alessandro, Pirro e tutti li Romani; onde io ammirato come sapeano quelle istorie, mi mostraro che essi teneano di tutte nazioni lingua, e che mandavano apposta per il mondo ambasciatori, e s'informavano del bene e del male di tutti; e godeno assai in questo. Viddi che nella China le bombarde e le stampe furo prima ch'a noi. Ci son poi li mastri di queste cose; e li figliuoli, senza fastidio, giocando, si trovano saper tutte le scienze istoricamente prima che abbin dieci anni.

Il Amore ha cura della generazione, con unir li maschi e le femine in modo che faccin buona razza; e si riden di noi che attendemo alla razza de cani e cavalli, e trascuramo la nostra. Tien cura dell'educazione, delle medicine, spezierie, del seminare e raccogliere li frutti, delle biade, delle mense e d'ogni altra cosa pertinente al vitto e vestito e coito, ed ha molti maestri e maestre dedicate a queste arti.

Il Metafisico tratta tutti questi negozi con loro, ché senza lui nulla si fa, ed ogni cosa la communicano essi quattro, e dove il Metafisico inchina,[16] son d'accordo.

Osp. Or dimmi degli offizi e dell'educazione e del modo come si vive; si è republica o monarchia o stato di pochi.

Gen. Questa è una gente ch'arrivò là dall'Indie, ed erano molti filosofi, che fuggiro la rovina di Mogori[17] e d'altri predoni e tiranni; onde si risolsero di vivere alla filosofica in commune, si ben la communità delle donne non si usa tra le genti della provinzia loro; ma essi l'usano, ed è questo il modo. Tutte cose son communi; ma stan in man di offiziali le dispense, onde non solo il vitto, ma le scienze e onori e

[15] Maometto.
[16] approva.
[17] *Mogori*: i Tartari (dal loro capo, il Gran Mogor).

spassi son communi, ma in maniera che non si può appropriare cosa alcuna.

Dicono essi che tutta la proprietà nasce da far casa appartata, e figli e moglie propria, onde nasce l'amor proprio; ché, per sublimar a ricchezze o a dignità il figlio o lasciarlo erede, ognuno diventa o rapace publico, se non ha timore, sendo potente; o avaro ed insidioso ed ippocrita, si è impotente. Ma quando perdono l'amor proprio, resta il commune solo.

Osp. Dunque nullo vorrà fatigare, mentre aspetta che l'altro fatighi, come Aristotile dice contra Platone.[17 bis]

Gen. Io non so disputare, ma ti dico c'hanno tanto amore alla patria loro, che è una cosa stupenda, piú che si dice delli Romani, quanto son piú spropriati.[18] E credo che li preti e monaci nostri, se non avessero li parenti e li amici, o l'ambizione di crescere piú a dignità, seriano piú spropriati e santi e caritativi con tutti.

Osp. Dunque là non ci è amicizia, poiché non si fan piacere l'un l'altro.

Gen. Anzi grandissima: perché è bello a vedere, che tra loro non ponno donarsi cosa alcuna, perché tutto hanno del commune, e molto guardano gli offiziali, che nullo abbia piú che merita. Però quanto è bisogno tutti l'hanno. E l'amico si conosce tra loro nelle guerre, nell'infirmità, nelle scienze, dove s'aiutano e s'insegnano l'un l'altro. E tutti li gioveni s'appellan frati[19] e quei che son quindici anni piú di loro, padri, e quindici meno figli. E poi vi stanno l'offiziali a tutte cose attenti, che nullo possa all'altro far torto nella fratellanza.

Osp. E come?

Gen. Di quante virtú noi abbiamo, essi hanno l'offiziale: ci è un che si chiama Liberalità, un Magnanimità, un Ca-

[17 bis] cfr. *Politica,* 1261 b.
[18] disinteressati.
[19] fratelli.

stità, un Fortezza, un Giustizia criminale e civile, un Solerzia, un Verità, Beneficenza, Gratitudine, Misericordia, ecc.; e a ciascuno di questi si elegge quello, che da fanciullo nelle scole si conosce inchinato a tal virtú. E però, non sendo tra loro latrocini, né assassinii, né stupri ed incesti, adultèri, delli quali noi ci accusamo, essi si accusano d'ingratitudine, di malignità, quando uno non vuol far piacere onesto, di bugia, che abborriscono piú che la peste; e questi rei per pena son privati della mensa commune, o del commerzio delle donne, e d'alcuni onori, finché pare al giudice, per ammendarli.[20]

Osp. Or dimmi, come fan gli offiziali?

Gen. Questo non si può dire, se non sai la vita loro. Prima è da sapere che gli uomini e le donne vestono d'un modo atto a guerreggiare, benché le donne hanno la sopraveste fin sotto al ginocchio, e l'uomini sopra.

E s'allevan tutti in tutte l'arti. Dopo li tre anni li fanciulli imparano la lingua e l'alfabeto nelle mura, caminando in quattro schiere; e quattro vecchi li guidano ed insegnano, e poi li fan giocare e correre, per rinforzarli, e sempre scalzi e scapigli,[21] fin alli sette anni, e li conducono nell'officine dell'arti, cositori,[22] pittori, orefici, ecc.; e mirano l'inclinazione. Dopo li sette anni vanno alle lezioni delle scienze naturali, tutti; ché son quattro lettori della medesima lezione, e in quattro ore tutte quattro squadre si spediscono; perché, mentre gli altri si esercitano il corpo, o fan li publici servizi, gli altri stanno alla lezione. Poi tutti si mettono alle matematiche, medicine ed altre scienze, e ci è continua disputa tra di loro e concorrenza; e quelli poi diventano offiziali di quella scienza, dove miglior profitto fanno, o di quell'arte meccanica, perché ognuna ha il suo capo. Ed in campagna, nei lavori e nella pastura delle bestie pur vanno ad impa-

[20] emendarli.
[21] a capo scoperto (meridionalismo).
[22] cucitori.

rare; e quello è tenuto di piú gran nobiltà, che piú arti impara, e meglio le fa. Onde si ridono di noi che gli artefici appellamo ignobili, e diciamo nobili quelli, che null'arte imparano e stanno oziosi e tengono in ozio e lascivia tanti servitori con roina[23] della republica.

Gli offiziali poi s'eleggono da quelli quattro capi, e dalli mastri di quell'arte, li quali molto bene sanno chi è piú atto a quell'arte o virtú, in cui ha da reggere, e si propongono in Consiglio, e ognuno oppone quel che sa di loro. Però non può essere Sole se non quello che sa tutte l'istorie delle genti e riti e sacrifizi e republiche ed inventori di leggi ed arti. Poi bisogna che sappia tutte l'arti meccaniche, perché ogni due giorni se n'impara una, ma l'uso qui le fa saper tutte, e la pittura. E tutte le scienze ha da sapere, matematiche, fisiche, astrologiche. Delle lingue non si cura, perché ha l'interpreti, che son i grammatici loro. Ma piú di tutti bisogna che sia Metafisico e Teologo, che sappia ben la radice e prova d'ogni arte e scienza, e le similitudini e differenze delle cose, la Necessità, il Fato e l'Armonia del mondo, la Possanza, Sapienza ed Amor divino e d'ogni cosa, e li gradi degli enti e corrispondenze loro con le cose celesti, terrestri e marine, e studia molto bene nei Profeti ed astrologia. Dunque si sa chi ha da esser Sole, e se non passa trentacinque anni, non arriva a tal grado; e questo offizio è perpetuo, mentre[24] non si trova chi sappia piú di lui e sia piú atto al governo.

Osp. E chi può saper tanto? Anzi non può saper governare chi attende alle scienze.

Gen. Io dissi a loro questo, e mi risposero: "Piú certi semo noi, che un tanto letterato sa governare, che voi che sublimate l'ignoranti, pensando che siano atti perché son nati signori, o eletti da fazione potente. Ma il nostro Sole sia pur

[23] rovina.
[24] finché.

tristo in governo, non sarà mai crudele, né scelerato, né tiranno un chi tanto sa. Ma sappiate che questo è argomento che può tra voi, dove pensate che sia dotto chi sa piú grammatica e logica d'Aristotile o di questo o quello autore; al che ci vol sol memoria servile, onde l'uomo si fa inerte, perché non contempla le cose ma li libri, e s'avvilisce l'anima in quelle cose morte; né sa come Dio regga le cose, e gli usi della natura e delle nazioni. Il che non può avvenire al nostro Sole, perché non può arrivare a tante scienze chi non è scaltro d'ingegno ad ogni cosa, onde è sempre attissimo al governo. Noi pur sappiamo che chi sa una scienza sola, non sa quella né l'altre bene; e che colui che è atto ad una sola, studiata in libro, è inerte e grosso. Ma non cosí avviene alli pronti d'ingegno e facili ad ogni conoscenza, come è bisogno che sia il Sole. E nella città nostra s'imparano le scienze con facilità tale, come vedi, che piú in un anno qui si sa, che in diece o quindici tra voi, e mira in questi fanciulli."

Nel che io restai confuso per le ragioni sue e la prova di quelli fanciulli, che intendevano la mia lingua; perché d'ogni lingua sempre han d'esser tre che la sappiano. E tra loro non ci è ozio nullo, se non quello che li fa dotti; ché però vanno in campagna a correre, a tirar dardo, sparar archibugi, seguitar [25] fiere, lavorare, conoscer l'erbe, mo [26] una schiera, mo un'altra di loro.

Li tre offiziali primi non bisogna che sappiano se non quell'arti che all'offizio loro partengono. Onde sanno l'arti communi a tutti, istoricamente imparandole, e poi le proprie, dove piú si dà uno che un altro: cosí il Potestà saperà l'arte cavalieresca, fabricar ogni sorte d'armi, cose di guerra, machine, arte militare, ecc. Ma tutti questi offiziali han d'essere filosofi, di piú, ed istorici, naturalisti ed umanisti.

[25] inseguire.
[26] ora.

Osp. Vorrei che dicessi l'offizi tutti, e li distinguessi; e s'è bisogno l'educazion commune.

Gen. Sono prima le stanze communi, dormitori, letti e bisogni; ma ogni sei mesi si distinguono dalli mastri, chi ha da dormire in questo girone o in quell'altro, e nella stanza prima o seconda, notate per alfabeto.

Poi son l'arti communi agli uomini e donne, le speculative e meccaniche; con questa distinzione, che quelle dove ci va fatica grande e viaggio, le fan gli uomini, come arare, seminare, cogliere i frutti, pascer le pecore, operar nell'aia, nella vendemmia. Ma nel formar il cascio[27] e mungere si soleno[28] le donne mandare, e nell'orti vicini alla città per erbe e servizi facili. Universalmente, le arti che si fanno sedendo e stando, per lo piú son delle donne, come tessere, cuscire,[29] tagliar i capelli e le barbe, la speziaria, fare tutte sorti di vestimenti; altro che l'arte del ferraro e delle armi. Pur chi è atta a pingere, non se le vieta. La musica è solo delle donne, perché piú dilettano, e de' fanciulli, ma non di trombe e tamburi. Fanno anche le vivande; apparecchiano le mense; ma il servire a tavola è proprio delli gioveni, maschi e femine, finché son di vint'anni.

Hanno in ogni girone le publiche cucine e le dispense della robba. E ad ogni officio soprastante è un vecchio ed una vecchia, che comandano ed han potestà di battere o far battere da altri li negligenti e disobedienti, e notano ognuno ed ognuna in che esercizio meglio riesce. Tutta la gioventú serve alli vecchi che passano quarant'anni; ma il mastro o maestra han cura la sera, quando vanno a dormire, e la mattina di mandar alli servizi di quelli a chi tocca, uno o due ad ogni stanza, ed essi gioveni si servono tra loro, e chi ricusa, guai a lui! Vi son prime e seconde mense: d'una parte man-

[27] cacio.
[28] si sogliono.
[29] cucire.

giano le donne, dall'altra gli uomini, e stanno come in refettori di frati. Si fa senza strepito, ed un sempre legge a tavola, cantando, e spesso l'offiziale parla sopra qualche passo della lezione. È una dolce cosa vedersi servire di tanta bella gioventú, in abito succinto, cosí a tempo, e vedersi a canto tanti amici, frati, figli e madri vivere con tanto rispetto ed amore.

Si dona a ciascuno, secondo il suo esercizio, piatto di pitanza[30] e menestra, frutti, cascio; e li medici hanno cura di dire alli cochi[31] in quel giorno, qual sorte di vivanda conviene, e quale alli vecchi e quale alli giovani e quale all'ammalati. Gli offiziali hanno miglior parte; questi mandano spesso della loro a tavola a chi piú si ha fatto onore la mattina nelle lezioni e dispute di scienze ed armi, e questo si stima per grande onore e favore. E nelle feste fanno cantar una musica pur in tavola; e perché tutti metteno mano alli servizi, mai non si trova che manchi cosa alcuna. Son vecchi savi soprastanti a chi cucina ed alli refettori, e stimano assai la nettezza nelle strade, nelle stanze e nelli vasi e nelle vestimenta e nella persona.

Vesteno dentro camisa bianca di lino, poi un vestito, ch'è giubbone e calza insieme, senza pieghe e spaccato per mezzo, dal lato e di sotto, e poi imbottonato. Ed arriva la calza sin al tallone, a cui si pone un pedale grande come un bolzacchino,[32] e la scarpa sopra. E son ben attillate, che quando si spogliano la sopraveste, si scerneno[33] tutte le fattezze della persona. Si mutano le vesti quattro volte varie, quando il Sole entra in Cancro e Capricorno, Ariete e Libra. E, secondo la complessione e procerità,[34] sta al Medico di distribuirle col Vestiario di ciascun girone. Ed è cosa mirabile che in un

[30] pietanza.
[31] cuochi.
[32] bozzacchino, tipo di stivale fino a metà gamba.
[33] si vedono.
[34] altezza.

punto hanno quante vesti vogliono, grosse, sottili, secondo il tempo. Veston tutti di bianco, ed ogni mese si lavan le vesti col sapone, o bucato quelle di tela.

Tutte le stanze sottane[35] sono officine, cucine, granari, guardarobbe, dispense, refettori, lavatori; ma si lavano nelle pile delli chiostri. L'acqua si getta per le latrine o per canali, che vanno a quelle. Hanno in tutte le piazze delli gironi le lor fontane, che tirano l'acque dal fondo solo con muover un legno, onde esse spicciano per li canali. Vi è acqua sorgente, e molta nelle conserve[36] a cui vanno le piogge per li canali delle case, passando per arenosi acquedotti. Si lavano le persone loro spesso, secondo il maestro e 'l medico ordina. L'arti si fanno tutte nei chiostri di sotto, e le speculative di sopra, dove sono le pitture, e nel tempio si leggono.

Negli atri di fuora son orologi di sole e di squille[37] per tutti i gironi, e banderole per saper i venti.

Osp. Or dimmi della generazione.

Gen. Nulla femina si sottopone al maschio, se non arriva a dicinov'anni né maschio si mette alle generazione inanti alli vintiuno, e piú si è di complessione bianco.[38] Nel tempo inanti è ad alcuno lecito il coito con le donne sterili o pregne, per non far in vaso indebito; e le maestre matrone con li seniori della generazione han cura di provederli, secondo a loro è detto in secreto da quelli piú molestati da Venere. Li provedono, ma non lo fanno senza far parola al maestro maggiore, che è un gran medico, e sottostà ad Amore, Prencipe offiziale. Se si trovano in sodomia, son vituperati, e li fan portare due giorni legata al collo una scarpa, significando che pervertiro l'ordine e posero li piedi in testa, e la seconda volta crescen la pena finché diventa capitale. Ma chi si astiene

[35] terrene.
[36] serbatoi.
[37] *orologi di sole e di squille*: meridiane e orologi a suoneria.
[38] gracile.

fin a ventun anno d'ogni coito è celebrato con alcuni onori e canzoni.

Perché quando si esercitano alla lotta, come i Greci antichi, son nudi tutti, maschi e femine, li mastri conoscono chi è impotente o no al coito, e quali membra con quali si confanno. E cosí, sendo ben lavati, si donano al coito ogni tre sere; e non accoppiano se non le femine grandi e belle alli grandi e virtuosi, e le grasse a' macri, e le macre alli grassi, per far temperie.[39] La sera vanno i fanciulli e conciano[40] i letti, e poi vanno a dormire, secondo ordina il mastro e la maestra. Né si pongono al coito, se non quando hanno digerito, e prima fanno orazione, ed hanno belle statue di uomini illustri, dove le donne mirano. Poi escono alla fenestra, e pregono Dio del Cielo, che li doni prole buona. E dormeno in due celle, sparti fin a quell'ora che si han da congiungere, ed allora va la maestra, ed apre l'uscio dell'una e l'altra cella. Questa ora è determinata dall'Astrologo e Medico; e si forzan sempre di pigliar tempo, che Mercurio e Venere siano orientali dal Sole in casa benigna[41] e che sian mirati da Giove di buono aspetto[42] e da Saturno e Marte [. E] cosí il Sole come la Luna, che spesso sono afete.[43] E per lo piú vogliono Ver-

[39] equilibrio.

[40] acconciano.

[41] *orientali dal Sole in casa benigna*: i pianeti sono orientali rispetto al Sole quando al mattino appaiono all'orizzonte prima del Sole. Le *case* sono i dodici fusi in cui gli astrologi solevano dividere la sfera celeste: l'influsso dei pianeti può essere benigno o maligno a seconda del fuso (*casa*) in cui si trovano.

[42] " Si dice *aspetto* la posizione reciproca dei pianeti nella fascia zodiacale. Cinque sono gli aspetti che hanno valore astrologico: il *sestile*, quando la distanza tra due pianeti è di 60 gradi; il *quadrato*, quando è di 90; il *trigono*, quando è di 120; l'*opposito*, quando è di 180; il *congiunto*, quando i due pianeti s'incontrano nello stesso segno. Aspetti buoni sono il sestile e il trigono, cattivi il quadrato e l'opposito " (Bobbio).

[43] plurale di " afeta "; e si dice che i pianeti si trovano in " luogo afetico " (arabo *hilech*), quando siano nel luogo dal quale si determina

gine in ascendente[44]; ma assai si guardano che Saturno e Marte non stiano in angolo,[45] perché tutti quattro angoli con opposizioni e quadrati infettano, e da essi angoli è la radice della virtú vitale e della sorte, dependente dall'armonia del tutto con le parti. Non si curano di satellizio,[46] ma solo degli aspetti buoni. Ma il satellizio solo nella fondazione della città e della legge ricercano, che però non abbia prencipe Marte o Saturno, se non con buone disposizioni. Ed han per peccato li generatori non trovarsi mondi[47] tre giorni avanti di coito e d'azioni prave,[48] e di non esser devoti al Creatore. Gli altri, che per delizia o per servire alla necessità si donano al coito con sterili o pregne o con donne di poco valore, non osservan queste sottigliezze. E gli offiziali, che son tutti sacerdoti, e li sapienti non si fanno generatori, se non osservano molti giorni piú condizioni; perché essi, per la molta speculazione, han debole lo spirito animale, e non trasfondeno il valor della testa, perché pensano sempre a qualche cosa; onde trista razza fanno. Talché si guarda bene, e si donano questi a donne vive, gagliarde e belle; e gli uomini fantastichi e capricciosi a donne grasse, temperate, di costumi blandi. E

il destino. Tutto il luogo è da intendersi, secondo la spiegazione dell'Amerio, che ci sembra la piú persuasiva: "... scelgono per gli accoppiamenti il tempo in cui Mercurio e Venere sorgono all'orizzonte prima del Sole (*orientali dal Sole*), stazionano in uno spicco celeste favorevole (*casa benigna*), mentre Giove, Saturno e Marte si trovano, rispetto ad essi, entro la fascia zodiacale, a una distanza di significato pure favorevole (*di buono aspetto*). Anche il Sole e la Luna, che spesso sono i pianeti determinanti del destino (*afete*), devono trovarsi nella medesima condizione." Con l'Amerio e il Kvacala accettiamo l'emendazione "Marte [.E] cosí," in luogo di "Marte cosí" che è nel testo del Bobbio.

[44] *in ascendente*: nel primo fuso o casa (cfr. n. 41).

[45] *in angolo*: nel primo, quarto, settimo o decimo fuso, nelle case cioè corrispondenti ai quattro punti cardinali.

[46] Il *satellizio* è l'influsso astrologico, che promana dalla disposizione dei satelliti sotto un pianeta principale.

[47] puri.

[48] cattive, malvage.

dicono che la purità della complessione, onde le virtú fruttano, non si può acquistare con arte, e che difficilmente senza disposizion naturale può la virtú morale allignare, e che gli uomini di mala natura per timor della legge fanno bene, e, quella cessante, struggon[49] la republica con manifesti o segreti modi. Però tutto lo studio principale deve essere nella generazione, e mirar li meriti naturali, e non la dote e la fallace nobiltà.

Se alcune di queste donne non concipeno[50] con uno, le mettono con altri; se poi si trova sterile, si può accommunare, ma non ha l'onor delle matrone in Consiglio della generazione e nella mensa e nel tempio; e questo lo fanno perché essa non procuri la sterilità per lussuriare. Quelle che hanno conceputo, per quindici giorni non si esercitano; poi fanno leggeri esercizi per rinforzar la prole, ed aprir li meati[51] del nutrimento a quella. Partorito che hanno, esse stesse allevano i figli in luoghi communi, per due anni lattando e piú, secondo pare al Fisico. Dopo si smamma[52] la prole, e si dona in guardia delle mastre, se son femine, o delli maestri. E con gli altri fanciulli qui si esercitano all'alfabeto, a caminare, correre, lottare ed alle figure istoriate; ed han vesti di color vario e bello. Alli sette anni si donano alle scienze naturali, e poi all'altre, secondo pare agli offiziali, e poi si mettono in meccanica. Ma li figli di poco valore si mandano alle ville[53] e, quando riescono, poi si riducono alla città. Ma per lo piú, sendo generati nella medesima costellazione, li contemporanei son di virtú consimili e di fattezze e di costumi. E questa è concordia stabile nella republica, e s'amano grandemente ed aiutano l'un l'altro.

[49] distruggono.
[50] concepiscono.
[51] vie.
[52] si svezza.
[53] *alle ville*: in campagna.

Li nomi loro non si mettono a caso, ma dal Metafisico, secondo la proprietà, come usavan li Romani: onde altri si chiamano il Bello, altri il Nasuto, altri il Peduto, altri Bieco, altri Crasso, ecc.; ma quando poi diventano valenti nell'arte loro o fanno qualche prova in guerra, s'aggiunge il cognome dall'arte, come Pittor Magno, Aureo, Eccellente, Gagliardo, dicendo: Crasso Aureo, ecc.; o pur dall'atto dicendo: Crasso Forte, Astuto, Vincitore, Magno, Massimo, ecc., e dal nemico vinto, come Africano, Asiano, Tosco, ecc.; Manfredi, Tortelio dall'aver superato Manfredi o Tortelio o simili altri. E questi cognomi s'aggiungono dall'offiziali grandi, e si donano con una corona conveniente all'atto o arte sua, con applauso e musica. E si vanno a perdere per questi applausi, perché oro ed argento non si stima, se non come materia di vasi o di guarnimenti communi a tutti.

Osp. Non ci è gelosia tra loro o dolore a chi non sia fatto generatore o quel che ambisce?

Gen. Signor no, perché a nullo manca il necessario loro quanto al gusto; e la generazione è osservata religiosamente per ben publico, non privato, ed è bisogno stare al detto [54] dell'offiziali. Platone [55] disse che si dovean gabbare li pretendenti a belle donne immeritamente, con far uscir la sorte destramente secondo il merito; il che qui non bisogna far con inganno di ballotte [56] per contentarsi delle brutte i brutti, perché tra loro non ci è bruttezza; ché, esercitandosi esse donne, diventano di color vivo e di membra forti e grandi, e nella gagliardia e vivezza e grandezza consiste la beltà appresso a loro. Però è pena della vita imbellettarsi la faccia, o portar

[54] decisione.

[55] Cfr. *Repubblica*, 460 a: " Bisognerà... fare degli accorti sorteggi, di modo che quel tal soggetto dappoco dia in ogni singola unione la colpa alla sorte, e non giá ai reggitori " (trad. F. Gabrieli, Firenze, 1950, p. 175).

[56] *con inganno di ballotte*: col sorteggio.

pianelle, o vesti con le code per coprir i piedi di legno,[57] ma non averiano commodità[58] manco di far questo, perché chi ci li daria?[59] E dicono che questo abuso in noi viene dall'ozio delle donne, che le fa scolorite e fiacche e piccole; e però han bisogno di colori ed alte pianelle, e di farsi belle per tenerezza, e cosí guastano la propria complessione e della prole. Di piú, s'uno s'innamora di qualche donna, è lecito tra loro parlare, far versi, scherzi, imprese di fiori e di piante. Ma se si guasta la generazione, in nullo modo si dispensa tra loro il coito, se non quando ella è pregna o sterile. Però non si conosce tra loro se non amor d'amicizia per lo piú, non di concupiscenza ardente.

La robba non si stima, perché ognuno ha quanto li bisogna, salvo per segno d'onore. Onde agli eroi ed eroisse[60] la republica fa certi doni, in távola o in feste publiche, di ghirlande o di vestimenta belle fregiate; benché tutti di bianco il giorno e nella città, ma di notte e fuor della città vestono a rosso, o di seta o di lana. Abborreno[61] il color nero, come feccia delle cose, e però odiano i Giapponesi, amici di quello. La superbia è tenuta per gran peccato, e si punisce un atto di superbia in quel modo che l'ha commesso. Onde nullo reputa viltà lo servire in mensa, in cucina o altrove, ma lo chiamano imparare; e dicono che cosí è onore al piede caminare, come all'occhio guardare; onde chi è deputato a qualche offizio, lo fa come cosa onoratissima, e non tengono schiavi, perché essi bastano a se stessi, anzi soverchiano. Ma noi non cosí, perché in Napoli son da trecento mila anime, e non faticano cinquanta milia; e questi patiscono fatica assai e si

[57] *per coprir i piedi di legno*: allude all'uso femminile di portare scarpe con spesse suole di sughero per aumentare l'altezza della persona, e, per coprire l'inganno, indossare vesti lunghe fino a terra.
[58] *non averiano commodità*: non avrebbero possibilità.
[59] *chi ci li daria*: chi glieli darebbe.
[60] eroine.
[61] aborriscono.

struggono; e l'oziosi si perdono anche per l'ozio, avarizia, lascivia ed usura, e molta gente guastano tenendoli in servitú e povertà, o fandoli[62] partecipi di lor vizi, talché manca il servizio publico, e non si può il campo, la milizia e l'arti fare, se non male e con stento. Ma tra loro, partendosi l'offizi a tutti e le arti e fatiche, non tocca faticar quattro ore il giorno per uno; sí ben tutto il resto è imparare giocando, disputando, leggendo, insegnando, caminando, e sempre con gaudio. E non s'usa gioco che si faccia sedendo, né scacchi, né dadi, né carte o simili, ma ben la palla, pallone, rollo,[63] lotta, tirar palo,[64] dardo, archibugio.

Dicono ancora che la povertà grande fa gli uomini vili, astuti, ladri, insidiosi, fuorasciti, bugiardi, testimoni falsi; e le ricchezze insolenti, superbi, ignoranti, traditori, disamorati, presumitori di quel che non sanno. Però la communità tutti li fa ricchi e poveri: ricchi, ch'ogni cosa hanno e possedono; poveri, perché non s'attaccano a servire alle cose, ma ogni cosa serve a loro. E molto laudano in questo le religioni della cristianità e la vita dell'Apostoli.

Osp. È bella cosa questa e santa; ma quella delle donne communi pare dura ed ardua. S. Clemente Romano[65] dice che le donne pur sian communi, ma la glosa intende quanto all'ossequio, non al letto, e Tertulliano consente alla glosa; ché i Cristiani antichi tutto ebbero commune, altro che le mogli, ma queste pur furo communi nell'ossequio.

Gen. Io non so di questo; so ben che essi han l'ossequio

[62] facendoli.
[63] ruzzola.
[64] giavellotto.
[65] San Clemente, nella V delle *Epistole*, scrive che secondo Pitagora nella comunità dei beni son da comprendere anche le donne. Una glossa (*glosa*) al *Decretum Gratiani*, riferendo il passo clementino, annota che per comunità delle donne si deve intendere non l'uso corporale, ma l'" ossequio " (la conversazione). Tertulliano, nell'*Apologetico*, scrive, riferendosi alla comunità cristiana, che " presso di noi tutto è in comune, tranne le mogli."

commune delle donne e 'l letto, ma non sempre, se non per generare. E credo che si possano ingannare ancora; ma essi si difendono con Socrate, Catone, Platone[66] ed altri. Potria stare[67] che lasciassero quest'uso un giorno, perché nelle città soggette a loro non accommunano se non le robbe, e le donne quanto all'ossequio ed all'arti, ma non al letto; e questo l'ascrivono all'imperfezione di quelli che non han filosofato. Però vanno spiando di tutte nazioni l'usanze, e sempre migliorano; e quando sapranno le ragioni vive del cristianesimo provate con miracoli, consentiranno, perché son dolcissimi. Ma fin mo[68] trattano naturalmente senza fede rivelata; né ponno a piú sormontare.[69]

Di piú questo è bello, che fra loro non ci è difetto che faccia l'uomo ozioso, se non l'età decrepita, quando serve solo per consiglio. Ma chi è zoppo serve alle sentinelle con gli occhi; chi non ha occhi serve a carminar la lana e levar il pelo dal nervo delle penne per li matarazzi,[70] chi non ha mani, ad altro esercizio; e se un membro solo ha, con quello serve nelle ville, e son governati bene, e son spie che avvisano alla republica ogni cosa.

Osp. Di' mo della guerra; ché poi dell'arti e vitto mi dirai, poi delle scienze, e al fine della religione.

Gen. Il Potestà tiene sotto di sé un offiziale dell'armi, un altro dell'artellaria, un delli cavalieri, un delli ingegneri; ed ognuno di questi ha sotto di sé molti capi mastri di quell'arte. Ma di piú ci sono gli atleti, che a tutti insegnano l'eser-

[66] Secondo una tradizione tramandataci da Diogene Laerzio, Socrate avrebbe avuto due mogli contemporaneamente, Santippe e Mirtone; di Catone Uticense si allude a un episodio narrato da Plutarco (*Vita di Catone Minore*); per Platone il rinvio è alla *Repubblica*.

[67] *Potria stare*: potrebbe darsi.

[68] *fin mo*: finora.

[69] *né ponno a piú sormontare*: né è possibile che maggiormente si elevino (da se stessi, senza la fede rivelata).

[70] materassi.

cizio della guerra. Questi sono attempati, prudenti capitani, che esercitano li gioveni di dodici anni in suso all'arme; benché prima nella lotta e correre e tirar pietre erano avvezzi da mastri inferiori. Or questi l'insegnano a ferire, a guadagnar l'inimico con arte, a giocar di spada, di lancia, a saettare, a cavalcare, a seguire,[71] a fuggire, a star nell'ordine militare. E le donne pure imparano queste arti sotto maestre e mastri loro, per quando fusse bisogno aiutar gli uomini nelle guerre vicine alla città; e, se venisse assalto, difendono le mura. Onde ben sanno sparar l'archibugio, far balle,[72] gittar pietre, andar incontro. E si sforzano tôr da loro ogni timore, ed hanno gran pene quei che mostran codardia. Non temono la morte, perché tutti credono l'immortalità dell'anima, e che, morendo, s'accompagnino con li spiriti buoni o rei, secondo li meriti. Benché essi siano stati Bragmani pitagorici, non credono trasmigrazione d'anima, se non per qualche giudizio di Dio. Né s'astengono di ferir il nimico ribello della ragione,[73] che non merita esser uomo.

Fanno la mostra[74] ogni dui mesi, ed ogni giorno ci è l'esercizio dell'arme, o in campagna, cavalcando, o dentro, ed una lezione d'arte militare, e fanno sempre leggere l'istorie di Cesare, d'Alessandro, di Scipione e d'Annibale, e poi donano il giudizio loro quasi tutti, dicendo: "Qui fecero bene, qui male"; e poi risponde il mastro e determina.

Osp. Con chi fan le guerre? e per che causa, se son tanto felici?

Gen. Se mai non avessero guerra, pure s'esercitano all'arte di guerra ed alla caccia per non impoltronire e per quel che potria succedere. Di piú, vi son quattro regni nell'isola, li quali han grande invidia della felicità loro, perché li popoli

[71] inseguire.
[72] palle.
[73] *ribello della ragione*: barbaro.
[74] rivista.

desiderariano[75] vivere come questi Solari, e vorriano star piú soggetti ad essi, che non a' propri regi. Onde spesso loro è mossa guerra, sotto color d'usurpar confini e di viver empiamente, perché non sequeno le superstizioni di Gentili, né dell'altri Bragmani; e spesso li fan guerra, come ribelli che prima erano soggetti. E con tutto questo perdono sempre. Or essi Solari, subito che patiscono preda, insulto o altro disonore, o son travagliati l'amici loro, o pure son chiamati d'alcune città tiranneggiate come liberatori, essi si mettono a consiglio, e prima s'inginocchiano a Dio e pregano che li faccia ben consigliarsi, poi s'esamina il merito del negozio, e cosí si bandisce la guerra. Mandano un sacerdote detto il Forense: costui dimanda a' nemici che rendano il tolto o lascino la tirannia; e se quelli negano, li bandiscono la guerra, chiamando Dio delle vendette in testimonio contra di chi ha il torto; e si quelli prolungano il negozio, non li danno tempo, si è re, piú d'un'ora, si è republica, tre ore a deliberar la risposta, per non esser burlati; e cosí si piglia la guerra, se quelli son contumaci alla ragione. Ma dopo ch'è pigliata, ogni cosa esequisce il locotenente del Potestà; ed esso comanda senza consiglio d'altri; ma si è cosa di momento, domanda il Amor e 'l Sapienza e 'l Sole. Si propone in Consiglio grande, dove entra tutto il popolo di venti anni in su, e le donne ancora, e si dichiara la giustizia dell'impresa dal Predicatore, e mettono in ordine ogni cosa.

Devesi sapere ch'essi hanno tutte sorti d'arme apparecchiate nell'armari, e spesso si provano quelle in guerre finte. Han per tutti li gironi, nell'esterior muro, l'artellerie e l'artiglieri preparati e molti altri cannoni di campagna che portano in guerra, e n'han pur di legno, nonché di metallo; e cosí sopra le carra li conducono, e l'altre munizioni nelle mule, e bagaglie. E se sono in campo aperto, serrano le bagaglie in mezzo

[75] desidererebbero.

e l'artellerie, e combattono gran pezzo, e poi fan la ritirata. E 'l nemico, credendo che cedano, s'inganna; perché essi fanno ala, pigliano fiato e lasciano l'artiglierie sparare, e poi tornano alla zuffa contra nemici scompigliati. Usano far i padiglioni alla romana con steccati e fosse intorno con gran prestezza. Ci son li mastri di bagaglie, d'artellerie e dell'opere. Tutti soldati san maneggiar la zappa e la secure.[76] Vi son cinque, otto o diece capitani di consiglio di guerra e di stratagemme, che comandano alle squadre loro secondo prima insieme si consigliarono. Soleno portar seco una squadra di fanciulli a cavallo per imparar la guerra, ed incarnarsi,[77] come lupicini, al sangue; e nei pericoli si ritirano, e molte donne con loro. E dopo la battaglia esse donne e fanciulli fanno carezze alli guerrieri, li medicano, serveno, abbracciano e confortano; e quelli, per mostrarsi valenti alle donne e figli loro, fanno gran prove. Nell'assalti, chi prima saglie[78] il muro ha dopo in onore una corona di gramigna con applauso militare delle donne e fanciulli. Chi aiuta il compagno ha la corona civica di quercia; chi uccide il tiranno, le spoglie opime, che porta al tempio, e si dona dal Sole il cognome dell'impresa.

Usano i cavalieri una lancia, due pistole avanti cavallo, di mirabil tempra, strette in bocca, che per questo passano ogni armatura, ed hanno anco lo stocco. Altri portano la mazza, e questi son gli uomini d'arme, perché, non potendo un'armatura ferrea penetrare con spada o con pistola, sempre assaltano il nemico con la mazza, come Achille contra Cigno,[79] e lo sconquassano e gittano. Ha due catene la mazza in punta,

[76] scure.

[77] abituarsi.

[78] sale.

[79] Cicno: figlio di Poseidone; assalito a Troia da Achille, resistette a tutti gli assalti grazie alla sua invulnerabilità; ma, essendo caduto, Achille gli fu sopra e lo strangolò.

a cui pendeno due palle, che, menando, circondano il collo del nemico, lo cingeno, tirano e gettano; e, per poterla maneggiare, non tengono briglia con mano, ma con li piedi, incrocicchiata nella sella, ed avvinchiata nell'estremo alle staffe, non alli piedi, per non impedirsi; e le staffe han di fuori la sfera e dentro il triangolo, onde il piè torcendo ne' lati, le fan girare, ché stan affibiate alli staffili, e cosí tirano a sé o allungano il freno con mirabil prestezza, e con la destra torceno a sinistra ed *a contrario*. Questo secreto manco i Tartari hanno inteso, ché stirare e torcere non sanno con le staffe. Li cavalli leggeri cominciano con li schioppi, e poi entrano l'aste e le frombole, delle quali tengono gran conto. E usano combattere per fila intessute, andando altri, ed altri ritirandosi a vicenda; e le spade sono l'ultima prova.

Ci son poi li trionfi militari ad uso di Romani, e piú belli, e le supplicazioni ringraziatorie. E si presenta al tempio il capitano, e si narrano li gesti dal poeta o istorico ch'andò con lui. E 'l Principe lo corona, ed a tutti soldati fa qualche regalo ed onore, e per molti dí sono esenti dalle fatiche publiche. Ma essi l'hanno a male, perché non sanno star oziosi ed aiutano gli altri. E all'incontro quei che per loro colpa han perduto, si ricevono con vituperio, e chi fu il primo a fuggire non può scampar la morte, se non quando tutto l'esercito domanda in grazia la sua vita, ed ognun piglia parte della pena. Ma poco s'ammette tal indulgenza, si non quando ci è gran ragione. Chi non aiutò l'amico o fe' atto vile, è frustato; chi fu disobediente, si mette a morire dentro un palco di bestie con un bastone in mano, e se vince i leoni e l'orsi, che è quasi impossibile, torna in grazia.

Le città superate o date a loro subito mettono ogni avere in commune, e riceveno gli offiziali solari e la guardia, e si van sempre acconciando all'uso della Città del Sole, maestra loro; e mandano li figli ad imparare in quella, senza contribuire a spese.

Saria lungo a dirti del mastro delle spie e sentinelle, degli ordini loro dentro e fuore la città, che te li puoi pensare, ché son eletti da bambini secondo l'inclinazione e costellazione vista nella genitura loro. Onde ognuno, oprando secondo la proprietà sua naturale, fa bene quell'esercizio e con piacere per esserli naturale; cosí dico delle stratagemme ed altri. La città di notte e di giorno ha le guardie nelle quattro porte e nelle mura estreme, su li torrioni e valguardi; e lo girone il dí le femine, la notte li maschi guardano; e questo lo fanno per non impoltronire e per li casi fortuiti. Han le veglie, come i nostri soldati, divise di tre in tre ore; la sera entrano in guardia.

Usano le cacce per imagini di guerra, e li giochi in piazza a cavallo ed a piede ogni festa, e poi segue la musica.

Perdonano volentieri a' nemici e dopo la vittoria li fanno bene. Se gettano mura o vogliono occider i capi o altro danno a' vinti, tutto fanno in un giorno, e poi li fanno bene, e dicono che non si deve far guerra se non per far gli uomini buoni, non per estinguerli. Se tra loro ci è qualche gara d'ingiuria o d'altro, perché essi non contendono se non di onore, il Principe e suoi offiziali puniscono il reo secretamente, s'incorse ad ingiuria di fatto dopo le prime ire; se di parole, aspettano in guerra a diffinirle, dicendo che l'ira si deve sfogare contra l'inimici. E chi fa poi in guerra piú atti eroici, quello è tenuto c'abbia raggione nell'onoranza, e l'altro cede. Ma nelle cose del giusto ci son le pene; però in duello di mano non ponno venire, e chi vol mostrarsi megliore, faccilo in guerra publica.

Osp. Bella cosa per non fomentar fazioni a roina della patria e schifar le guerre civili, onde nasce il tiranno, come fu in Roma ed Atene. Narra or, ti prego, dell'artifici loro.

Gen. Devi aver inteso come commune a tutti è l'arte militare, l'agricoltura, la pastorale; ch'ognuno è obbligato a saperle, e queste son le piú nobili tra loro; ma chi piú arti sa, piú nobile è, e nell'esercitarla quello è posto, che è piú atto. L'arti fatigose ed utili son di piú laude, come il ferraro, il fabricatore; e non si schifa nullo a pigliarle, tanto piú che nella natività loro si vede l'inclinazione, e tra loro, per lo compartimento delle fatiche, nullo viene a participar fatica destruttiva dell'individuo, ma solo conservativa. L'arti che sono di manco fatica son delle femine. Le speculative son di tutti, e chi piú è eccellente si fa lettore; e questo è piú onorato che nelle meccaniche, e si fa sacerdote. Saper natare [80] è a tutti necessario, e ci sono a posta le piscine fuor delle fosse della città, e dentro vi son le fontane.

La mercatura a loro poco serve, ma però conoscono il valor delle monete, e battono moneta per l'ambasciatori loro, acciocché possano commutare con le pecunia il vitto che non ponno portare, e fanno venire d'ogni parte del mondo mercanti a loro per smaltir le cose soverchie, e non vogliono danari, se non merci di quelle cose che essi non hanno. E si ridono quando vedeno i fanciulli, che quelli donano tanta robba per poco argento, ma non li vecchi. Non vogliono che schiavi o forastieri infettino la città di mali costumi; però vendono quelli che pigliano in guerra, o li mettono a cavar [81] fosse o far esercizi faticosi fuor della città, dove sempre vanno quattro squadre di soldati a guardare il territorio e quelli che lavorano, uscendo dalle quattro porte, le quali hanno le strade di mattoni fin al mare per condotta delle robbe e facilità delli forastieri. Alli quali fanno gran carezze, li donano da mangiare per tre giorni, li lavano li piedi, li fan veder la città e l'ordine loro, entrare a Consiglio ed a mensa. E ci son uomini deputati a guardarli, e se voglion farsi cittadini, li provano un mese nelle ville ed uno nella città, e cosí poi risolveno, e li ricevono con certe cerimonie e giuramenti.

[80] nuotare.
[81] scavare.

L'agricoltura è in gran stima: non ci è palmo di terra che non frutti. Osservano li venti e le stelle propizie, ed escono tutti in campo armati ad arare, seminare, zappare, metere, raccogliere, vindemiare, con musiche, trombe e stendardi; ed ogni cosa fanno fra pochissime ore. Hanno le carra [82] a vela, che caminano con il vento, e quando non ci è vento, una bestia tira un gran carro, bella cosa, ed han li guardiani del territorio armati, che per li campi sempre van girando. Poco usano letame all'orti ed a' campi, dicendo che li semi diventano putridi e fan vita breve, come le donne imbellettate e non belle per esercizio fanno prole fiacca. Onde né pur la terra imbellettano, ma ben l'esercitano, ed hanno gran secreti di far nascer presto e multiplicare, e non perder seme. E tengon un libro a posta di tal esercizio, che si chiama la *Georgica*. Una parte del territorio, quanto basta, si ara; l'altra serve per pascolo delle bestie. Or questa nobil arte di far cavalli, bovi, pecore, cani ed ogni sorte d'animali domestici è in sommo pregio appresso loro, come fu in tempo antico d'Abramo; e con modi magici li fanno venire al coito, che possan ben generare, inanzi a cavalli pinti o bovi o pecore; e non lasciano andar in campagna li stalloni con le giumente, ma li donano a tempo opportuno inanzi alle stalle di campagna. Osservano Sagittario in ascendente, con buono aspetto di Marte e Giove: per li bovi, Tauro,[83] per le pecore, Ariete, secondo l'arte. Hanno poi mandre di galline sotto le Pleiadi e papare [84] ed anatre, guidate a pascere dalle donne con gusto loro presso alla città e li luochi, dove la sera son serrate a far il cascio e latticini, butiri [85] e simili. Molto attendono a' caponi [86] ed a' castrati ed al frutto,[87] e ci è un

[82] carri.
[83] Toro.
[84] papere.
[85] burro.
[86] capponi.
[87] parto.

libro di quest'arte detto la *Buccolica*. Ed abbondano d'ogni cosa, perché ognuno desidera esser primo alla fatica per la docilità delli costumi e per esser poca e fruttuosa; ed ognun di loro, che è capo di questo esercizio, s'appella Re, dicendo che questo è nome loro proprio, e non di chi non sa. Gran cosa, che donne ed uomini sempre vanno in squadroni, né mai soli, e sempre all'obedienza del capo si trovano senza nullo disgusto; e ciò perché l'hanno come padre o frate maggiore.

Han poi le montagne e le cacce d'animali, e spesso s'esercitano.

La marineria è di molta reputazione, e tengono alcuni vascelli, che senza vento e senza remi [88] caminano, ed altri con vento e remi. Intendono assai le stelle, e flussi e reflussi del mare, e navigano per conoscer genti e paesi. A nullo fan torto; senza esser stimolati non combattono. Dicono che il mondo averà da riducersi a vivere come essi fanno, però cercano sempre sapere se altri vivono meglio di loro. Hanno confederazione con li Chinesi, e con piú popoli isolani e del continente, di Siam e di Cancacina [89] e Calicut,[90] solo per spiare.[90 bis]

Hanno anche gran secreti di fuochi artifiziali per le guerre marine e terrestri, e stratagemme, che mai non restan di vincere.

Osp. Che e come mangiano? e quanto è lunga la vita loro?

Gen. Essi dicono che prima bisogna mirar la vita del tutto

[88] La descrizione dei vascelli che, "con magistero facile," possano navigare senza vento e senza remi si trova nella seconda edizione latina della *Città del Sole*, sulla fine. Di questa invenzione il Campanella tratta anche nelle lettere VII e XXX dei *Memoriali* e nell'Ecloga al Delfino di Francia.

[89] Cocincina.

[90] "reame del Malabar ed anche oggi importante porto sulla costa sud-occidentale dell'India" (Firpo).

[90 bis] *solo per spiare*: al solo scopo di osservarne e indagarne i modi di vita e di governo.

e poi delle parti; onde quando edificaro la città, posero i segni fissi nelli quattro angoli del mondo. Il Sole in ascendente in Leone, e Giove in Leone orientale dal Sole, e Mercurio e Venere in Cancro, ma vicini, che facean satellizio; Marte nella nona in Ariete, che mirava di sua casa con felice aspetto l'ascendente e l'afeta, e la Luna in Tauro, che mirava di buono aspetto Mercurio e Venere, e non facea aspetto quadrato al Sole. Stava Saturno entrando nella quarta, senza far malo aspetto a Marte ed al Sole. La Fortuna con il capo di Medusa[91] in decima quasi era, onde essi s'augurano signoria, fermezza e grandezza, E Mercurio, sendo in buono aspetto di Vergine e nella triplicità dell'asside[92] suo, illuminato dalla Luna, non può esser tristo; ma, sendo gioviale, la scienza loro non mendica; poco curano d'aspettarlo in Vergine e la congiunzione.

Or essi mangiano carne, butiri, mele, cascio, dattili,[93] erbe diverse, e prima non volean uccidere gli animali, parendo crudeltà; ma poi vedendo che era crudeltà ammazzar l'erbe, che han senso, onde bisognava morire, consideraro che le cose ignobili son fatte per le nobili, e magnano ogni cosa. Non però uccidono volontieri l'animali fruttuosi, come bovi e cavalli. Hanno però distinti li cibi utili dalli disutili, e secondo la medicina si serveno; una fiata mangiano carne, una pesce ed una erbe, e poi tornano alla carne per circolo, per non gravare né estenuare la natura. Li vecchi han cibi piú digestibili, e mangiano tre volte il giorno e poco, li fanciulli quattro, la communità due. Vivono almeno cento anni, al piú centosettanta o ducento al rarissimo. E son molto temperati nel bevere: vino non si dona a' fanciulli sino alli diciannove anni senza necessità grandissima, e bevono con acqua poi, e cosí le donne; li vecchi di cinquanta anni in su

[91] Il *Capo di Medusa* (Algol) è una stella della costellazione di Perseo.
[92] abside.
[93] datteri.

beveno senz'acqua. Mangiano, secondo la stagione dell'anno, quel che è piú utile e proprio, secondo provisto viene dal capo medico, che ha cura. Usano assai l'odori: la mattina, quando si levano, si pettinano e lavano con acqua fresca tutti; poi masticano maiorana e petroselino [94] o menta, e se la frecano nelle mani, e li vecchi usano incenso; e fanno l'orazione brevissima a levante come il *Pater noster*; ed escono e vanno chi a servire i vecchi, chi in coro, chi ad apparecchiare le cose del commune; e poi si riducono alle prime lezioni, poi al tempio, poi escono all'esercizio, poi riposano poco, sedendo, e vanno a magnare.

Tra loro non ci è podagre, né chiragre, né catarri, né sciatiche, né doglie coliche, né flati, perché questi nascono dalla distillazione ed inflazione, ed essi per l'esercizio purgano ogni flato ed umore. Onde è tenuto a vergogna che uno si vegga sputare, dicendo che questo nasce da poco esercizio, da poltroneria o da mangiar ingordo. Patiscono piú tosto d'infiammazioni e spasmi secchi alli quali con la copia del buon cibo e bagni sovvengono; ed all'etica [95] con bagni dolci e latticini, e star in campagne amene in bello esercizio. Morbo venereo non può allignare, perché si lavano spesso li corpi con vino ed ogli aromatici; e il sudore anche leva quell'infetto vapore, che putrefà il sangue e le midolle. Né tisici si fanno, per non esser distillazione che cali al petto, e molto meno asma, poiché umor grosso ci vuole a farla. Curano le febri ardenti con acqua fresca, e l'efimere solo con odori e brodi grassi o con dormire o con suoni ed allegrie; le terzane con levar sangue e con reubarbaro [96] o simili attrattivi, e con bevere acque di radici d'erbe purganti ed acetose. Di rado

[94] prezzemolo.
[95] L'*etica* è una febbre che ha origine da alterazione delle parti solide del corpo: vedi piú avanti altri tipi di febbri: ardente, effimera, terzana, quartana, continua, ottana, settana.
[96] rabarbaro.

vengono a medicina purgante. Le quartane son facili a sanare per paure súbite,[96 bis] per erbe simili all'umore od opposite; e mi mostraro certi secreti mirabili di quelle. Delle continue tengono conto assai, e fanno osservanza di stelle e d'erbe, e preghiere a Dio per sanarle. Quintane, ottane, settane poche si trovano, dove non ci sono umori grossi. Usano li bagni e l'olei[97] all'usanza antica, e ci trovaro molto piú secreti per star netto, sano, gagliardo. Si forzano con questi ed altri modi aiutarsi contra il morbo sacro[98] che ne pateno spesso.

Osp. Segno d'ingegno grande, onde Ercole, Socrate, Macometto, Scoto[99] e Callimaco ne patiro.

Gen. E s'aiutano con preghiere al cielo e con odori e confortanti della testa e cose acide ed allegrezze e brodi grassi, sparsi di fiori di farina. Nel condir le vivande non han pari: pongono macis, mele, butiro e con aromati assai, che ti confortano grandemente. Non beveno annevato,[100] come i Napolitani, neanche caldo, come li Chinesi, perché non han bisogno d'aiutarsi contra l'umori grossi in favor del natio calore, ma lo confortano con aglio pesto ed aceto, serpillo, menta, basilico, l'estate e nella stanchezza; né contra il soverchio calor dell'aromati aumentato, perché non escono di regola. Hanno pur un secreto di rinovar la vita[101] ogni sette anni, senza afflizione, con bell'arte.

Osp. Non hai ancora detto delle scienze e degli offiziali

Gen. Sí, ma poiché sei tanto curioso, ti dirò piú. Ogni nova luna ed ogni opposizione sua fanno Consiglio dopo il sacrifizio; e qui entrano tutti di venti anni in suso, e si dimanda ad ognuno che cosa manca alla città, e chi offiziale è buono

[96 bis] *per paure súbite*: per mezzo di paure improvvise.
[97] olii; unzioni.
[98] epilessia.
[99] Duns Scoto.
[100] ghiacciato.
[101] ringiovanire.

e chi è tristo. Dopo ogn'otto dí, si congregano tutti l'offiziali, che son il Sole, Pon, Sir, Mor; ed ognun di questi ha tre offiziali sotto di sé, che son tredici, ed ognun di questi tre altri, che son tutti quaranta; e quelli han l'offizi dell'arti convenienti a loro, il Potestà della milizia, il Sapienza delle scienze, il Amore del vitto, generazione e vestito ed educazione; e li mastri d'ogni squadra, cioè caporioni, decurioni, centuriori sí delle donne come degli uomini. E si ragiona di quel che bisogna al publico, e si eleggon gli offiziali, pria nominati in Consiglio grande. Dopo ogni dí fa consiglio Sole e li tre Prencipi delle cose occorrenti, e confirmano e conciano quel che si è trattato nell'elezione e gli altri bisogni. Non usano sorti,[101 bis] se non quando son dubbi in modo che non sanno a qual parte pendere. Questi offiziali si mutano secondo la volontà del popolo inchina, ma li quattro primi no, se non quando essi stessi, per consiglio fatto tra loro, cedono a chi veggono saper piú di loro, ed aver piú purgato ingegno; e son tanto docili e buoni, che volentieri cedeno a chi piú sa ed imparano da quelli; ma questo è di rado assai.

Li capi principali delle scienze son soggetti al Sapienza, altri che il Metafisico che è esso Sole, che a tutte scienze comanda, come architetto, ed ha vergogna ignorare cosa alcuna al mondo umano. Sotto a lui sta il Grammatico, il Logico, il Fisico, il Medico, il Politico, l'Economico, il Morale, l'Astronomo, l'Astrologo, il Geometra, il Cosmografo, il Musico, il Prospettivo, l'Aritmetico, il Poeta, l'Oratore, il Pittore, il Scultore. Sotto Amore sta il Genitario, l'Educatore, il Vestiario, l'Agricola, l'Armentario, il Pastore, il Cicurario,[102] il Gran Coquinario.[103] Sotto Potestà il Stratagemmario, il Ferrario, l'Armario, l'Argentario, il Monetario, l'Ingegnero, Mastro spia, Ma-

[101 bis] sorteggio.
[102] Sovrintendente all'allevamento degli animali domestici.
[103] Cuciniere.

stro cavallerizzo, il Gladiatore, l'Artegliero, il Frombolario, il Giustiziero. E tutti questi han li particolari artefici soggetti.

Or qui hai da sapere che ognun è giudicato da quello dell'arte sua; talché ogni capo dell'arte è giudice, e punisce d'esilio, di frusta, di vituperio, di non mangiar in mensa commune, di non andar in chiesa, non parlar alle donne. Ma quando occorre caso ingiurioso, l'omicidio si punisce con morte, ed occhio per occhio, naso per naso si paga la pena della pariglia, quando è caso pensato.[103 bis] Quando è rissa subitanea, si mitiga la sentenza, ma non dal giudice, perché condanna subito secondo la legge, ma dalli tre Principi. E s'appella pure al Metafisico per grazia, non per giustizia, e quello può far la grazia. Non tengono carceri, se non per qualche ribello nemico un torrione. Non si scrive processo, ma in presenza del giudice e del Potestà si dice il pro e il contra; e subito si condanna dal giudice; e poi dal Potestà, se s'appella, il sequente dí si condanna; e poi dal Sole il terzo dí si condanna, o s'aggrazia[104] dopo molti dí con consenso del popolo. E nessuno può morire, se tutto il popolo a man commune non l'uccide; ché boia non hanno, ma tutti lo lapidano o brugiano, facendo che esso s'elegga la polvere[105] per morir subito. E tutti piangono e pregano Dio, che plachi l'ira sua, dolendosi che sian venuti a resecare un membro infetto dal corpo della republica; e fanno di modo che esso stesso accetti la sentenza, e disputano con lui fin tanto che esso, convinto, dica che la merita; ma quando è cosa contra la libertà o contra Dio o contra gli offiziali maggiori, senza misericordia si esequisce. Questi soli si puniscono con morte; e quel che more ha da dire tutte le cause perché non deve morire, e li peccati degli altri e dell'offiziali, dicendo quelli meritano peggio; e se vince, lo

[103 bis] premeditato.

[104] si grazia.

[105] *s'elegga la polvere*: preferisca farsi bruciare con la polvere da sparo (per avere una morte piú rapida).

mandano in esilio e purgano la città con preghiere e sacrifizi ed ammende; ma non però travagliano li nominati.

Li falli di fragilità e d'ignoranza si puniscono solo con vituperi, e con farlo imparare a contenersi, e quell'arte in cui peccò, o altra, e si trattano in modo, che paion l'un membro dell'altro.

Qui è da sapere, che se un peccatore, senza aspettare accusa, va da sé all'offiziali accusandosi e dimandando ammenda, lo liberano dalla pena dell'occulto peccato e la commutano mentre non fu accusato.

Si guardano assai dalla calunnia per non patir la medesima pena. E perché sempre stanno accompagnati quasi, ci vuole cinque testimoni a convincere, se non si libera col giuramento il reo. Ma se due altre volte è accusato da dui o tre testimoni, al doppio paga le pena.

Le leggi son pochissime, tutte scritte in una tavola di rame alla porta del tempio, cioè nelle colonne, nelle quali ci son scritte tutte le quiddità [106] delle cose in breve: che cosa è Dio, che cosa è angelo, che cosa è mondo, stella, uomo, ecc., con gran sale, e d'ogni virtú la diffinizione. E li giudici d'ogni virtú hanno la sedia in quel loco, quando giudicano, e dicono: "Ecco, tu peccasti contra questa diffinizione: leggi"; e cosí poi lo condanna o d'ingratitudine o di pigrizia o d'ignoranza; e le condanne son certe vere medicine, piú che pene, e di soavità grande.

Osp. Or dire ti bisogna delli sacerdoti e sacrifizi e credenza loro.

Gen. Sommo sacerdote è Sole; e tutti gli offiziali son sacerdoti, parlando delli capi, ed offizio loro è purgar le conscienze. Talché tutti si confessano a quelli, ed essi imparano che sorti di peccati regnano. E si confessano alli tre maggiori tanto li peccati propri, quanto li strani [107] in genere, senza nominare

[106] essenze.
[107] *li strani*: quelli altrui.

li peccatori, e li tre poi si confessano al Sole. Il quale conosce che sorti di errori corrono e sovviene alli bisogni della città e fa a Dio sacrifizio ed orazioni, a cui esso confessa li peccati suoi e di tutto il popolo publicamente in su l'altare, ogni volta che sia necessario per amendarli, senza nominar alcuno. E cosí assolve il popolo, ammonendo che si guardi in quelli errori, e confessa i suoi in publico e poi fa sacrifizio a Dio, che voglia assolvere tutta la città ed ammaestrarla e difenderla. Il sacrifizio è questo, che dimanda al popolo chi si vol sacrificare per li suoi membri, e cosí un di quelli piú buoni si sacrifica. E 'l sacerdote lo pone sopra una tavola, che è tenuta da quattro funi, che stanno a quattro girelle della cupola, e, fatta l'orazione a Dio che riceva quel sacrifizio nobile e voluntario umano (non di bestie involuntarie, come fanno i Gentili), fa tirar le funi; e questo saglie in alto alla cupoletta e qui si mette in orazione; e li si dà da magnare parcamente, sino a tanto che la città è espiata. Ed esso con orazioni e digiuni prega Dio, che riceva il pronto sacrifizio suo; e cosí, dopo venti o trenta giorni, placata l'ira di Dio, torna a basso per le parti di fuore o si fa sacerdote; e questo è sempre onorato e ben voluto, perché esso si dà per morto, ma Dio non vuol che mora.

Di piú vi stanno ventiquattro sacerdoti sopra il tempio, li quali a mezzanotte, a mezzodí, la mattina e la sera cantano alcuni salmi a Dio; e l'offizio loro è di guardar le stelle e notare con astrolabi tutti li movimenti loro e gli effetti che producono, onde sanno in che paese che mutazione è stata e ha da essere. E questi dicono l'ora della generazione e li giorni del seminare e raccogliere, e serveno come mezzani tra Dio e gli uomini; e di essi per lo piú si fanno li Soli e scriveno gran cose ed investigano scienze. Non vengono a basso, se non per mangiare; con donne non si impacciano, se non qualche volta per medicina del corpo. Va ogni dí Sole in alto e parla con loro di quel che hanno investigato sopra il benefizio della città e di tutte le nazioni del mondo. In tempio a basso sempre ha da esser uno che faccia orazione a Dio, ed ogni ora si muta, come noi facciamo le quarant'ore, e questo si dice continuo sacrifizio.

Dopo mangiare si rendon grazie a Dio con musica, e poi si cantano gesti di eroi cristiani, ebrei, gentili, di tutte nazioni, per spasso e per godere. Si cantano inni d'amore e di sapienza e d'ogni virtú. Si piglia ognuno quella che piú ama, e fanno alcuni balli sotto li chiostri, bellissimi. Le donne portano li capelli lunghi, inghirlandati ed uniti in un groppo in mezzo la testa con una treccia. Gli uomini solo un cerro,[108] un velo e berrettino. Usano cappelli in campagna, in casa berrette bianche o rosse o varie, secondo l'offizio ed arte che fanno, e gli officiali piú grandi e pompose.

Tutte le cose loro son quattro principali, cioè quando entra il sole in Ariete, in Cancro, in Libra, in Capricorno; e fanno gran rappresentazioni belle e dotte; ed ogni congiunzione ed opposizione di luna fanno certe feste. E nelli giorni che fondaro la città e quando ebbero vittoria, fanno il medesimo con musica di voci feminine e con trombe e tamburi ed artiglierie; e li poeti cantano le laudi delli piú virtuosi. Ma chi dice bugia in laude è punito; non si può dir poeta chi finge menzogna tra loro; e questa licenza dicono che è ruina del mondo, che toglie il premio alle virtú e lo dona altrui per paura o adulazione.

Non si fa statua a nullo, se non dopo che more; ma, vivendo, si scrive nel libro delli eroi chi ha trovato arti nove e secreti d'importanza, o fatto gran benefizio in guerra o pace al publico.

Non si atterrano[109] li corpi morti, ma si bruggiano[110] per levar la peste e per convertirsi in fuoco, cosa tanto nobile e

[108] ciocca di capelli (merid.).
[109] sotterrano (merid.).
[110] bruciano.

viva, che vien dal sole ed a lui torna, e per non restar sospetto d'idolatria. Restano pitture solo o statue di grand'uomini, e quelle mirano le donne formose, che s'applicano all'uso della razza.

L'orazioni si fan alli quattro angoli del mondo orizzontali, e la mattina prima a levante, poi a ponente, poi ad austro, poi a settentrione; la sera al riverso,[111] prima o ponente, poi a levante, poi a settentrione, poi ad austro. E replicano solo un verso, che dimanda corpo sano e mente sana a loro ed a tutte le genti, e beatitudine, e conclude: "come par meglio a Dio." Ma l'orazione attentamente e lunga si fa in cielo; però l'altare è tondo e in croce spartito, per dove entra Sole dopo le quattro repetizioni,[112] e prega mirando in suso. Questo lo fan per gran misterio. Le vesti pontificali son stupende di bellezza e di significato a guisa di quelle d'Aron.[113]

Distinguono li tempi secondo l'anno tropico, non sidereo,[114] ma sempre notano quanto anticipa questo di tempo. Credono che il sole cali a basso, e però facendo piú stretti circoli arriva alli tropici ed equinozi prima che l'anno passato; o vero pare arrivare, ché l'occhio, vedendolo piú basso in obliquo, lo vede prima giungere ed obliquare. Misurano li mesi con la luna e l'anno col sole; e però non accordano questo con quella fino alli dicinove anni, quando pur il capo del Drago[115] finisce

[111] *al riverso*: al contrario.

[112] "L'altare, rotondo, è diviso ad angolo retto da due vie interne che s'incrociano nel mezzo; dagli ingressi di queste vie, che sono quattro, entra il Sole dopo ciascuna delle quattro preghiere fatte nella direzione dei quattro punti cardinali; e prega con lo sguardo non piú rivolto all'orizzonte ma in su" (Bobbio).

[113] fratello maggiore e aiutante di Mosè.

[114] L'*anno tropico* si misura sull'osservazione degli equinozi e dei solstizi; l'*anno sidereo* sull'osservazione dell'itinerario del Sole fra le costellazioni.

[115] "Drago si chiamava la figura descritta dalla intersecazione delle orbite del Sole e della Luna per la sua forma simile a quella di un serpente, il cui ventre è piú grosso del capo e della coda. Dei due

il suo corso; del che han fatto nova astronomia. Laudano Tolomeo ed ammirano Copernico, benché Aristarco e Filolao [116] prima di lui; ma dicono che l'uno fa il conto con le pietre, l'altro con le fave,[117] ma nullo con le stesse cose contate, e pagano il mondo con li scudi di conto,[118] non d'oro. Però essi cercano assai sottilmente questo negozio, perché importa a saper la fabbrica del mondo, e se perirà e quando, e la sostanza delle stelle e chi ci sta dentro a loro. E credeno esser vero quel che disse Cristo [119] delli segni delle stelle, sole e luna, li quali alli stolti non pareno veri, ma li venirà, come ladro di notte, il fin delle cose. Onde aspettano la renovazione del secolo, e forsi [120] il fine. Dicono che è gran dubbio sapere se 'l mondo fu fatto di nulla o delle rovine d'altri mondi o del caos; ma par verisimile che sia fatto, anzi certo. Son nemici d'Aristotile, l'appellano pedante.

Onorano il sole e le stelle come cose viventi e statue di Dio e tempi celesti; ma non l'adorano, e piú onorano il sole.

punti d'intersecazione, oggi detti nodo ascendente e nodo discendente, quello da cui la Luna sale verso settentrione era detto *capo del Drago*; quello da cui discende verso mezzogiorno *coda del Drago* " (Bobbio).

[116] Aristarco di Samo (vissuto fra il IV e il III secolo a. C.), considerato un lontano precursore di Copernico per la formulazione dell'ipotesi eliocentrica. - Filolao di Crotone, della scuola di Pitagora, vissuto nel V secolo a. Cristo., elaborò un'ipotesi secondo la quale al centro del sistema celeste sarebbe, anziché la terra, il " fuoco centrale ": dunque, anch'egli precursore di Copernico.

[117] Fare il conto con le pietre e con le fave è metafora tratta dal giuoco delle carte e dei dadi, ove pietre e fave hanno funzione di gettoni. Spiega l'Amerio: " L'efficacia degli schemi matematici, di cui si vale l'astronomia, è per il Campanella puramente economica, mai conoscitiva, e piú schemi dello stesso fenomeno fisico possono ugualmente bene simboleggiare quel che avviene in natura, come succede a Copernico che, movendo la Terra, fa lo stesso calcolo di Tolomeo, che muove il Sole."

[118] *scudi di conto*: gettoni.

[119] Cfr. Matteo, XXIV, 29. Cfr. anche Marco, XIII, 24-25 e Luca, XXI, 25.

[120] forse.

Nulla creatura adorano di latria,[121] altro che Dio, e però a lui serveno solo sotto l'insegna del sole, ch'è insegna e volto di Dio, da cui viene la luce e 'l calore ed ogni altra cosa. Però l'altare è come un sole fatto, e li sacerdoti pregano Dio nel sole e nelle stelle, com'in altari, e nel cielo, come tempio; e chiamano gli angeli buoni per intercessori, che stanno nelle stelle, vive case loro, e che le bellezze sue Dio piú le mostrò in cielo e nel sole, come suo trofeo e statua.

Negano gli eccentrici ed epicicli [122] di Tolomeo e di Copernico; affermano che sia un solo cielo, e che li pianeti da sé si movano ed alzino, quando al sole si congiungeno per la luce maggiore che riceveno; e abbassino nelle quadrature e nell'opposizioni per avvicinarsi a lui. E la luna in congiunzione ed opposizione s'alza per stare sotto il sole e ricever la luce in questi siti assai che la sublima. E per questo le stelle, benché vadano sempre di levante a ponente, nell'alzare paion gir [123] a dietro; e cosí si veggono, perché il stellato cielo corre velocemente in ventiquattro ore, ed esse ogni dí, camminando meno, restano piú a dietro; talché, sendo passate dal cielo, paion tornare. E quando son nell'opposito del sole, piglian breve circolo per la bassezza, ché s'inchinano a pigliar luce da lui, e però caminano inante [124] assai; e quando vanno a par delle stelle fisse, si dicon stazionari; quando piú veloci, retrogradi, secondo li volgari astrologi; e quando meno, diretti. Ma la luna, tardissima in congiunzione ed opposizione, non par tornare, ma solo avanzare inanti poco, perché il primo cielo non è tanto piú di lei veloce allora c'ha lume assai o di sopra o di sotto, onde non par retrograda, ma solo tarda

[121] *latria*: culto religioso riservato soltanto a Dio.
[122] Secondo la definizione di Galileo, l'eccentrico è "un cerchio che ben circonda la terra, ma non la contiene nel suo centro, ma da una banda," e l'epiciclo "un cerchio descritto dal moto d'una stella la quale non abbracci con tal suo rivolgimento il globo terrestre."
[123] andare.
[124] avanti.

indietro e veloce inanti. E cosí si vede che né epicicli, né eccentrici ci voleno a farli alzare e retrocedere. Vero è ch'in alcune parti del mondo han consenso con le cose sopracelesti, e si fermano, e però diconsi alzar in eccentrico.

Del sole poi rendono la causa fisica,[125] che nel settentrione s'alza per contrastar la terra, dove essa prese forza, mentre esso scorse nel merigge, quando fu il principio del mondo. Talché in settembre bisogna dire che sia stato fatto il mondo, come gli Ebrei e Caldei antiqui, non li moderni, escogitaro: e cosí, alzando per rifar il suo, sta piú giorni in settentrione che in austro, e par salir in eccentrico.

Tengono dui princípi fisici: il sole padre e la terra madre; e l'aere essere cielo impuro, e 'l fuoco venir dal sole, e 'l mar essere sudore della terra liquefatta dal sole e unir l'aere con la terra, come il sangue lo spirito col corpo umano; e 'l mondo essere animal grande, e noi star intra lui, come i vermi nel nostro corpo; e però noi appartenemo alla providenza di Dio, e non del mondo e delle stelle, perché rispetto a loro siamo casuali; ma rispetto a Dio, di cui essi sono stromenti, siamo antevisti e provisti[126]; però a Dio solo avemo l'obligo di signore, di padre e di tutto.

Tengono per cosa certa l'immortalità dell'anima, e che s'accompagni, morendo, con spiriti buoni o rei, secondo il merito. Ma li luoghi delle pene e premi non l'han per tanto certi; ma assai ragionevole pare che sia il cielo e i luochi sotterranei. Stanno anche molto curiosi di sapere se queste sono eterne o no. Di piú son certi che vi siano angeli buoni e tristi, come avviene tra gli uomini, ma quel che sarà di loro aspettano

[125] Danno una spiegazione fisica dell'indugiare che il Sole fa nella parte settentrionale, in confronto alla meridionale. È qui accennata la dottrina campanelliana del contrasto fra il Sole (calore e luce) e la Terra (freddo e opacità).

[126] *antevisti*, con riferimento alla prescienza; *provisti*, alla provvidenza divina.

avviso dal cielo. Stanno in dubbio se ci siano altri mondi fuori di questo, ma stimano pazzia dir che non ci sia niente, perché il niente né dentro né fuori del mondo è, e Dio, infinito ente, non comporta il niente seco.

Fanno metafisici princípi delle cose l'ente, ch'è Dio, e 'l niente, ch'è il mancamento d'essere, come condizione senza cui nulla si fa: perché non se faria si fosse, dunque non era quel che si fa. Dal correre al niente nasce il male e 'l peccato; però il peccatore si dice annichilarsi e il peccato ha causa deficiente, non efficiente. La deficienza è il medesimo che mancanza, cioè o di potere o di sapere o di volere, ed in questo ultimo metteno il peccato. Perché chi può e sa ben fare, deve volere, perché la volontà nasce da loro, ma non *e contra*. Qui ti stupisci ch'adorano Dio in Trinitate, dicendo ch'è somma Possanza, da cui procede somma Sapienza, e d'essi entrambi, sommo Amore. Ma non conosceno le persone distinte e nominate al modo nostro, perché non ebbero revelazione, ma sanno ch'in Dio ci è processione e relazione di sé a sé; e cosí tutte cose compongono di possanza, sapienza ed amore, in quanto han l'essere; d'impotenza, insipienza e disamore, in quanto pendeno [127] dal non essere. E per quelle meritano, per queste peccano, o di peccato di natura nelli primi o d'arte in tutti tre. E cosí la natura particolare pecca nel far i mostri per impotenza o ignoranza. Ma tutte queste cose son intese da Dio potentissimo, sapientissimo ed ottimo, onde in lui nullo ente pecca e fuor di lui sí; ma non si va fuor di lui, se non per noi, non per lui, perché in noi la deficienza è, in lui l'efficienza. Onde il peccare è atto di Dio, in quanto ha essere ed efficienza; ma in quanto ha non essere e deficienza, nel che consiste la quidità [128] d'esso peccare è in

[127] dipendono.

[128] essenza. Il senso del periodo è: " Il peccato sarebbe un atto compiuto da Dio solo se avesse essere ed efficienza; ma essendo esso peccato contraddistinto in essenza dal non essere e dalla deficienza, non può

noi, ch'al non essere e disordine declinamo.

Osp. Oh, come sono arguti!

Gen. S'io avesse tenuto a mente, e non avesse pressa [129] e paura, io ti sfondacaria [130] gran cose; ma perdo la nave, se non mi parto.

Osp. Per tua fé, dimmi questo solo: che dicono del peccato d'Adamo?

Gen. Essi confessano che nel mondo ci sia gran corruttela, e che gli uomini si reggono follemente e non con ragione; e che i buoni pateno [131] e i tristi reggono; benché chiamano infelicità quella loro, perché è annichilirsi il mostrarsi quel che non sei, cioè d'essere re, d'essere buono, d'esser savio, e non esser in verità. Dal che argomentano che ci sia stato gran scompiglio nelle cose umane, e stavano per dire con Platone,[132] che li cieli prima giravano dall'occaso, là dove mo è il levante, e poi variaro. Dissero anco che può essere che governi qualche inferior Virtú, e la prima lo permetta, ma questo pur stimano pazzia. Piú pazzia è dire che prima resse Saturno bene, e poi Giove, e poi gli altri pianeti; ma confessano che l'età del mondo succedono secondo l'ordine di pianeti, e credeno che la mutanza degli assidi ogni mille anni o mille seicento variano il mondo. E questa nostra età par che sia di Mercurio, si bene le congiunzioni magne [133] l'intravariano, e l'anomalie [134] han gran forza fatale.

Finalmente dicono ch'è felice il cristiano, che si contenta di credere che sia avvenuto per il peccato d'Adamo tanto scom-

essere di conseguenza compiuto da Dio, ma solo da noi, che tendiamo al non essere e alla deficienza (o disordine)."

[129] fretta (merid.)

[130] da "fondaco": ti metterei innanzi.

[131] patiscono.

[132] Cfr. *Politica,* 269 a.

[133] *congiunzioni magne*: incontri dei pianeti che indicano avvenimenti straordinari.

[134] L'*anomalia* è termine astrologico (eclissi, comete, ecc.).

piglio, e credono che dai padri a' figli corre il male piú della pena che della colpa. Ma dai figli al padre torna la colpa, perché trascuraro la generazione, la fecero fuor di tempo e luoco, in peccato e senza scelta di genitori, e trascuraro l'educazione, ché mal l'indottrinaro. Però essi attendeno assai a questi due punti, generazione ed educazione; e dicono che la pena e la colpa redonda alla città, tanto de' figli, quanto de' padri; però non si vedeno bene e par che il mondo si regga a caso. Ma chi mira la costruzione del mondo, l'anatomia dell'uomo (come essi fan de' condennati a morte, anatomizzandoli) e delle bestie e delle piante, e gli usi delle parti e particelle loro, è forzato a confessare la providenza di Dio ad alta voce. Però si deve l'uomo molto dedicare alla vera religione, ed onorar l'autor suo; e questo non può ben fare chi non investiga l'opere sue e non attende a ben filosofare, e chi non osserva le sue leggi sante: "Quel che non vuoi per te non far ad altri, e quel che vuoi per te fa' tu il medesimo." Dal che ne segue, che se dai figli e dalle genti noi onor cercamo, alli quali poco damo,[135] assai piú dovemo noi a Dio, da cui tutto ricevemo, in tutto siamo e per tutto. Sia sempre lodato.

Osp. Se questi, che seguon solo la legge della natura, sono tanto vicini al cristianesimo, che nulla cosa aggiunge alla legge naturale si non i sacramenti, io cavo argumento di questa relazione che la vera legge è la cristiana, e che, tolti gli abusi, sarà signora del mondo. E che però gli Spagnuoli trovaro il resto del mondo, benché il primo trovatore fu il Colombo vostro genovese, per unirlo tutto ad una legge; e questi filosofi saran testimoni della verità, eletti da Dio. E vedo che noi non sappiamo quel che ci facemo, ma siamo instromenti di Dio. Quelli vanno per avarizia di danari cercando novi paesi, ma Dio intende piú alto fine. Il sole cerca strugger la terra, non

[135] diamo.

far piante ed uomini; ma Dio si serve di loro in questo. Sia laudato.

Gen. Oh, se sapessi che cosa dicono per astrologia e per l'istessi profeti nostri ed ebrei e d'altre genti di questo secolo nostro, c'ha piú storia in cento anni che non ebbe il mondo in quattro mila; e piú libri si fecero in questi cento che in cinque mila; e dell'invenżioni stupende della calamita e stampe ed archibugi, gran segni dell'union del mondo; e come, stando nella triplicità quarta l'asside di Mercurio a tempo che le congiunzioni magne si faceano in Cancro, fece queste cose inventare per la Luna e Marte, che in quel segno valeno al navigar novo, novi regni e nove armi. Ma entrando l'asside di Saturno in Capricorno, e di Mercurio in Sagittario, e di Marte in Vergine, e le congiunzioni magne tornando alla triplicità prima dopo l'apparizion della stella nova in Cassiopea,[136] sarà grandė monarchia nova, e di leggi riforma e d'arti, e profeti e rinovazione. E dicono che a' cristiani questo apporterà grand'utile; ma prima si svelle e monda, poi s'edifica e pianta.

Abbi pazienza, che ho da fare.

Questo sappi, c'han trovato l'arte del volare, che sola manca al mondo, ed aspettano un occhiale di veder le stelle occulte ed un oricchiale[137] d'udir l'armonia delli moti di pianeti.

Osp. Oh! oh! oh! mi piace. Ma Cancro è segno feminile di Venere e di Luna, e che può far di bene?

Gen. Essi dicono che la femina apporta fecondità di cose in cielo, e virtú manco gagliarda rispetto a noi aver dominio. Onde si vede che in questo secolo regnaro le donne, come l'Amazoni tra la Nubbia[138] e 'l Monopotapa,[139] e tra gli Eu-

[136] La *stella nova in Cassiopea* apparve nel novembre del 1572, fu studiata dall'astronomo Tycho Brahe, e fu considerata annunciatrice di avvenimenti straordinari.

[137] da orecchio, vocabolo coniato su " occhiale."

[138] Nubia.

[139] *Monopotapa*: territorio dell'Africa australe, esplorato nel 1560 da

ropei la Rossa[140] in Turchia, la Bona in Polonia, Maria in Ongheria, Elisabetta in Inghilterra, Catarina in Francia, Margherita in Fiandra, la Bianca in Toscana, Maria in Scozia, Camilla in Roma ed Isabella in Spagna, inventrice del mondo novo. E 'l poeta di questo secolo[141] incominciò dalle donne dicendo: "Le donne, i cavalier, l'armi e l'amori." E tutti son maledici li poeti d'ogge per[142] Marte; e per Venere e per la Luna parlano di bardascismo e puttanesmo. E gli uomini si effeminano e si chiamano "Vossignoria"; ed in Africa, dove regna Cancro, oltre l'Amazoni, ci sono in Fez e Marocco li bordelli degli effeminati publici, e mille sporchezze.

Non però restò, per esser tropico segno Cancro ed esaltazion di Giove ed apogío[143] del Sole e di Marte trigono, sí come per la Luna e Marte e Venere ha fatto la nova invenzion del mondo e la stupenda maniera di girar tutta la terra e l'imperio donnesco, e per Mercurio e Marte e Giove le stampe ed archibugi, di non far anche de leggi gran mutamento. Ché nel mondo novo e in tutte le marine d'Africa e Asia australi è entrato il cristianesimo per Giove e Sole, ed in Africa la legge del Seriffo[144] per la Luna, e per Marte in

Gonzales de Sylveira della Compagnia di Gesú e nel 1569 da Francisco Barreto.

[140] *la Rossa* è Rosselana, sposa di Solimano I; le altre donne sono nell'ordine: Bona Sforza moglie di Sigismondo I re di Polonia, Maria d'Asburgo sorella di Carlo V e moglie di Luigi II d'Ungheria, Elisabetta Tudor regina d'Inghilterra, Caterina de' Medici moglie di Enrico II di Francia, Margherita d'Asburgo figlia di Carlo V governatrice dei Paesi Bassi, Bianca Capello moglie di Francesco I de' Medici granduca di Toscana, Maria Stuart regina di Scozia, Isabella di Castiglia, Camilla Peretti, "l'invadente e autoritaria sorella di Sisto V" (FIRPO).

[141] Il *poeta di questo secolo* è l'Ariosto, di cui si riferisce il primo verso del *Furioso*.

[142] *per*: a causa di.

[143] apogeo.

[144] Sceriffo.

Persia quella d'Alle,[145] renovata dal Sofí,[146] con mutarsi imperio in tutte quelle parti ed in Tartaria. Ma in Germania, Francia ed Inghilterra entrò l'eresia per esser esse a Marte ed alla Luna inchinate; e Spagna per Giove ed Italia per il Sole, a cui sottostanno, per Sagittario e Leone, segni loro, restaro nella bellezza della legge cristiana pura. E quante cose saran piú di mo inanzi, e quanto imparai da questi savi circa la mutazion dell'assidi de' pianeti e dell'eccentricità e solstizi ed equinozi ed obliquitati, e poli variati e confuse figure nello spazio immenso; e del simbolo c'hanno le cose nostrali con quelle di fuori del mondo; e quanto seque[147] di mutamento dopo la congiunzion magna e l'eclissi, che sequeno dopo la congiunzion magna in Ariete e Libra, segni equinoziali, con la renovazione dell'anomalie, faran cose stupende in confirmar il decreto della congiunzion magna e mutar tutto il mondo e rinovarlo!

Ma per tua fé, non mi trattener piú, c'ho da fare. Sai come sto di pressa. Un'altra volta.

Questo si sappi, che essi tengon la libertà dell'arbitrio. E dicono che, se in quaranta ore di tormento[148] un uomo non si lascia dire quel che si risolve tacere, manco le stelle, che inchinano con modi lontani, ponno sforzare. Ma perché nel senso soavemente fan mutanza,[149] chi segue piú il senso che la ragione è soggetto a loro. Onde la costellazione che da Lutero cadavero cavò vapori infetti, da' Gesuini[150] nostri che furo al suo tempo cavò odorose esalazioni di virtú, e da

[145] Alí, quarto califfo degli Arabi.
[146] re di Persia.
[147] segue.
[148] Le *quaranta ore di tormento* sono un'allusione alla tortura detta "della veglia," che fu inflitta al Campanella nell'estrema fase del processo d'eresia, per accertare la simulata pazzia del filosofo.
[149] cambiamento.
[150] Gesuiti.

Fernando Cortese[151] che promulgò il cristianesimo in Messico nel medesimo tempo.

Ma di quanto è per sequire presto nel mondo io te 'l dirò un'altra fiata.

L'eresia è opera sensuale, come dice S. Paolo,[152] e le stelle nelli sensuali inchinano a quella, nelli razionali alla vera legge santa della prima Raggione, sempre laudanda. Amen.

Osp. Aspetta, aspetta.

Gen. Non posso, non posso.

[151] Cortes.
[152] Cfr. *Galati*, V, 19-20.

Indice dei nomi

Abramo, patriarca biblico: 59
Achille, eroe mitologico e personaggio omerico: 55
Adamo: 74
Alessandro III, detto Magno (356-323 a.E.v.), re di Macedonia: 38, 53
Alí (600 c.-661), quarto califfo degli Arabi: 78
Alle, v. *Alí*
Amerio, R.: 47 n, 70n
Annibale Barca (247c.-183 a.E.v.), condottiero cartaginese: 53
Archimede (287-212 a.E.v.): 36
Ariosto, Ludovico (1474-1533): 77n
Aristarco di Samo (310 c. - 250 a.E.v.), matematico, fisico e astronomo greco: 70
Aristotile (384/83-322 a.E.v.): 39, 42, 70
Aron, fratello e aiutante di Mosè: 69

Barreto, Francisco (1598 c. - 1663), viaggiatore portoghese, governatore delle Indie, poi del Mozambico: 77n
Bobbio, N.: 46n, 47n, 69n, 70n
Bona Sforza (1493-1557), sposa di Sigismondo I, re di Polonia: 77
Brahe, Tycho (1546-1601), astronomo danese: 76n

Callimaco (310c.-240 a.E.v.), poeta e filologo greco dell'età alessandrina: 63
Capello, Bianca (1548-1587), granduchessa di Toscana: 77
Carlo V (1550-1558), imperatore: 77n
Caterina de' Medici (1519-1589), moglie di Enrico II di Francia, alla morte del marito arbitra del regno come tutrice del giovane Carlo IX: 77
Catone, Marco Porcio, detto Uticense (95-46 a.E.v.), partigiano di Pompeo, fu sconfitto da Cesare a Tapso e si uccise: 52
Cesare, Gaio Giulio (100 c. - 44 a.E.v.), generale romano, triumviro, dittatore: 38, 53
Cicno, figlio di Poseidone, ucciso da Achille: 55
Cigno, v. *Cicno*
Clemente, santo (fine I sec.), terzo dei successori di S. Pietro, gli fu tra l'altro attribuito un cospicuo gruppo di scritti (le *Clementine*) narranti la sua conversione ad opera di S. Pietro: 51
Colombo, Cristoforo (1451-1506): 75
Copernico, Niccolò (1473-1543), cosmologo polacco, sostenitore della teoria eliocentrica: 70, 71
Cortes, Fernando (1485-1547), conquistatore spagnolo: 79
Cristo: 38,70

Diogene Laerzio, scrittore greco del III sec. E.v., autore di una raccolta di vite di filosofi illustri: 52n
Duns Scoto, Giovanni (1270 c. - 1308), filosofo, avversario del tomismo: 63

Elisabetta Tudor (1533-1603), regina d'Inghilterra: 77
Enrico II (1519-1559), re di Francia, avversario di Carlo V: 77n
Ercole: 63
Euclide, matematico greco vissuto attorno al 300 a.E.v.: 36

Filolao, filosofo di scuola pitagorica, vissuto nel V sec. a.E.v.: 70
Firpo, L.: 60n, 77n
Francesco I de' Medici (1541-1587), granduca di Toscana: 77n

Gabrieli, F.: 49n
Galilei, Galileo (1564-1642): 34n, 71n
Giovanni, san, evangelista: 33n
Giove: 37n

Isabella la Cattolica (1451-1504), regina di Castiglia: 77

Kvacala: 47n

Luca, san, evangelista: 70n
Luigi II (1506-1526), re d'Ungheria: 77n
Lutero, Martino (1483-1545): 78

Macometto, Macone, v. *Maometto*
Maometto (570 c. - 632): 38, 73
Marco, san: 70n
Margherita d'Asburgo (1522-1586), duchessa di Parma e Piacenza, governatrice dei Paesi Bassi: 77
Maria d'Asburgo (1505-1558), sorella di Carlo V e moglie di Luigi II, re d'Ungheria: 77
Maria Stuart (1542-1587), regina di Scozia: 77
Matteo, san: 70n
Mercurio: 37, 38, 46
Mirtone, moglie di Socrate: 52n
Mosè: 37, 39n

Osiri, v. *Osiride*
Osiride, divinità egiziana: 37

Paolo, san: 79
Peretti, Camilla, sorella di Sisto V: 77
Pirro (319-272 a.E.v.), re d'Epiro: 38
Pitagora, matematico e filosofo del VI sec. a.E.v.: 51n, 70 n
Platone (428/27-348/47 a.E.v.): 39, 49, 52, 74
Plutarco (50 - dopo il 120 E.v.), storico, filosofo, biografista greco: 52 n
Polo, v. *Paolo*
Poseidone: 55

Rossa, v. *Rosselana*
Rosselana, moglie di Solimano I: 77

Santippe, moglie di Socrate: 52n
Scipione Africano, Publio Cornelio (235-183 a.E.v.), generale e

uomo politico romano, vincitore di Annibale: 53
Sigismondo I (1467-1548), re di Polonia: 77n
Sisto V (1520-1590), papa: 77n
Socrate (470/69-399 a.E.v.): 52, 63
Solimano I, il Magnifico (1495-1566), sultano ottomano: 77n
Sylveira, Gonzales de, gesuita, esploratore africano: 77n

Tertulliano, Quinto Settimo Florente, apologista e scrittore cristiano del II-III sec.: 51
Tolomeo, Claudio (100 c. - 178 E.v.), astronomo, matematico, geografo: 70, 71

Indice

5 *Introduzione* di Adriano Seroni

27 *Nota bibliografica*

29 *Nota al testo*

31 *Appendice della politica detta La Città del Sole di Fra Tommaso Campanella*

81 *Indice dei nomi*

Stampa Sipiel
Milano, marzo 1988

2597
CAMPANELLA
LA CITTA' DEL SOLE
9ª Edizione - Marzo '88
Feltrinelli Editore - MI